JN085869

U N T O P I A

Walter Mosley

Folding the Red into the Black:
Or, Developing a Viable Untopia for Human Survival in the 21st Century

アントピア

だれもが自由にしあわせを追求できる社会の見取り図

ウォルター・モズリイ

品川亮 訳

共和国

○本書は、Walter Mosely, *Folding the Red into the Black: Or, Developing a Viable Untopia for Human Survival in the 21st Century*, 2016. の全訳です。日本語版には、著者の最新インタビューおよび酒井隆史さんによる解説を附しました。

○原注には＊を附して、当該段落の直後に記載しました。

○〔　〕は訳者による注を示します。

まえがき

実現できるかもしれないすばらしい世界がある

四十年ほど前〔一九七六年頃のこと〕、ぼくは政治理論の博士課程に入った。マサチューセッツ大学アマースト校でのことだ。学んだのは政治哲学や政治文化論。それからもっと抽象的に言えば、人間はどうやって自分たちのかかえる性（さが）と闘ってきたのか、ということについてだった。

研究対象にした思想家たちは、ほとんどが西欧の白人男性だった。でも彼らの考え方には普遍性があって、そこが魅力だった。人類すべてにとっての希望が、ほんの少しずつ含まれていたのだ——政治的・経済的にどうしようもなく分断されてしまった、ぼくたち現代社会の住人にとっては特に必要なものだ。

大学でのぼくの勉強は、完璧からはほど遠かったし、バランスもとれていなかった。でも、せいいっぱい打ち込んだ。思想というものが、どういう政治的な仕組みによって形作られてきたのか。ぼくたちの日常生活は政治文化という目に見えないものによって覆われているわけだが、それを分析するためのさまざまな理論はどのように機能してきたのか。そういうことについて、いくばくかを学ぶことができた。

三年後、ぼくは大学をやめた。ヘロドトス〔〝歴史の父〟と呼ばれる、古代ギリシャの歴史家〕からハンナ・アーレント〔ユダヤ系ドイツ人の思想家。ナチズムの台頭から逃れ、アメリカに亡命。『全体主義の起源』『エルサレムのアイヒマン』など〕まで、思想家たちの書いたものを読むのは大好きだったし、議論をするのはそれ以上に楽しかった。表舞台には出てこない勢力や、ふだんはだれも気づいていない人間の本能、それから、人々のあいだを引き裂き、みなを孤独にする経済のからくりについて、えんえんと話し合ったものだ。でもある日、ぼくは気付いてしまった。ぼくの勉強は、自己満足でしかない。これ以上続けても、金輪際、職に結びつくことはないのだと。

それは、ペロポネソス戦争〔紀元前五世紀の古代ギリシャ世界全域を巻き込んだ戦争〕についての講義の最中のことだった。ぼくは不意に、一生無職のままかもしれないという不安にとらわれた。

壇上の年老いた教授はヨーロッパ出身で、ハーヴァード大学で学んだ人物だった。大学教授としてのキャリアすべてを、トゥキディデス〔古代ギリシャの歴史家。自身も将軍として参加したペロポネソス戦争の歴史をまとめた『戦史』を著した〕の研究に捧げた人だ。しかもギリシャ語の原典を使って。テーマは刺激的だったけど、講義のスタイルにちょっとだけ退屈しながら、ぼくは悟った。いろんなことがものすごくうまくいったとしても、ぼくが就けるかもしれない唯一の仕事は、今、目の前でこの先生がしていることでしかないんだ。学問の世界でこの人みたいに成功するなんてむりだし、そもそも、彼と同じ職など欲しいとも思わなかった。

だから大学を去った。かつての仕事、コンピューター・プログラミングに戻ったのだ。それから何年も過ぎたある日、ぼくは、小説家という仕事なら自分の性格に合っているはずだと思い定めて、最初の一歩を踏み出した。その結果、大学での勉強よりはいくらかましな成功を手にすることができた。

でも、大学で身につけた考え方を失うことはなかった。この世界には、理不尽に苦しむ人々がたくさんいて、みんなそれがあたりまえだと思いこんでいる。でも、そうではない世界があったとしたらどうだろう。実現できるかもしれないすばらしい世界――気がつくと、ぼくはそんなことをよく考えていた。

大学で学んだのはこういう考え方だ。つまり、ある問題について語り合えば、解決への道が見つかるかもしれない。また、その問題について文章を書くことで、対話を生み出せる場合もあるだろう。

ぼくひとりの力では、自然環境を癒やしたり、宗教対立の難問を解決したり、人類全体のレベルを向上させたりはできない。それはわかっている。でも、人々をバラバラに引き裂いている資本主義、そして社会主義という二つのからくり(システム)について、ほんのすこし語ることならできる。そこから対話が生まれるかもしれない。話し合うことで、この二つのからくりから、なにか建設的なものを引き出す方法が見つかるかもしれない。

からくりというものは、どうがんばってもからくりにすぎない。からくりが人間を思いやる日は、永久にやってこない。腹の底からの楽しい笑い声だとか、死の床で交わされる胸を打つ別れの言葉なんていうものを、この二つのからくりが理解できるはずもないのだ。

この本を書いた理由はそこにある。まず、この二つの経済システム同士が対立関係にある、という考え方そのものが間違っているということ。そしてこの二つのからくりの持つ欠陥が、いかにして人間を支配したり人間性を抑えつけたりするために利用されてきたのかということについて、書き留めたかった。

解決策もいくつか提案した。でもこの本のいちばんの目標は、対話と思

考をはじめることだ。ぼくたち全員の人生をよりよいものにするためには、
どうしたらいいのだろう?

アントピア

目次

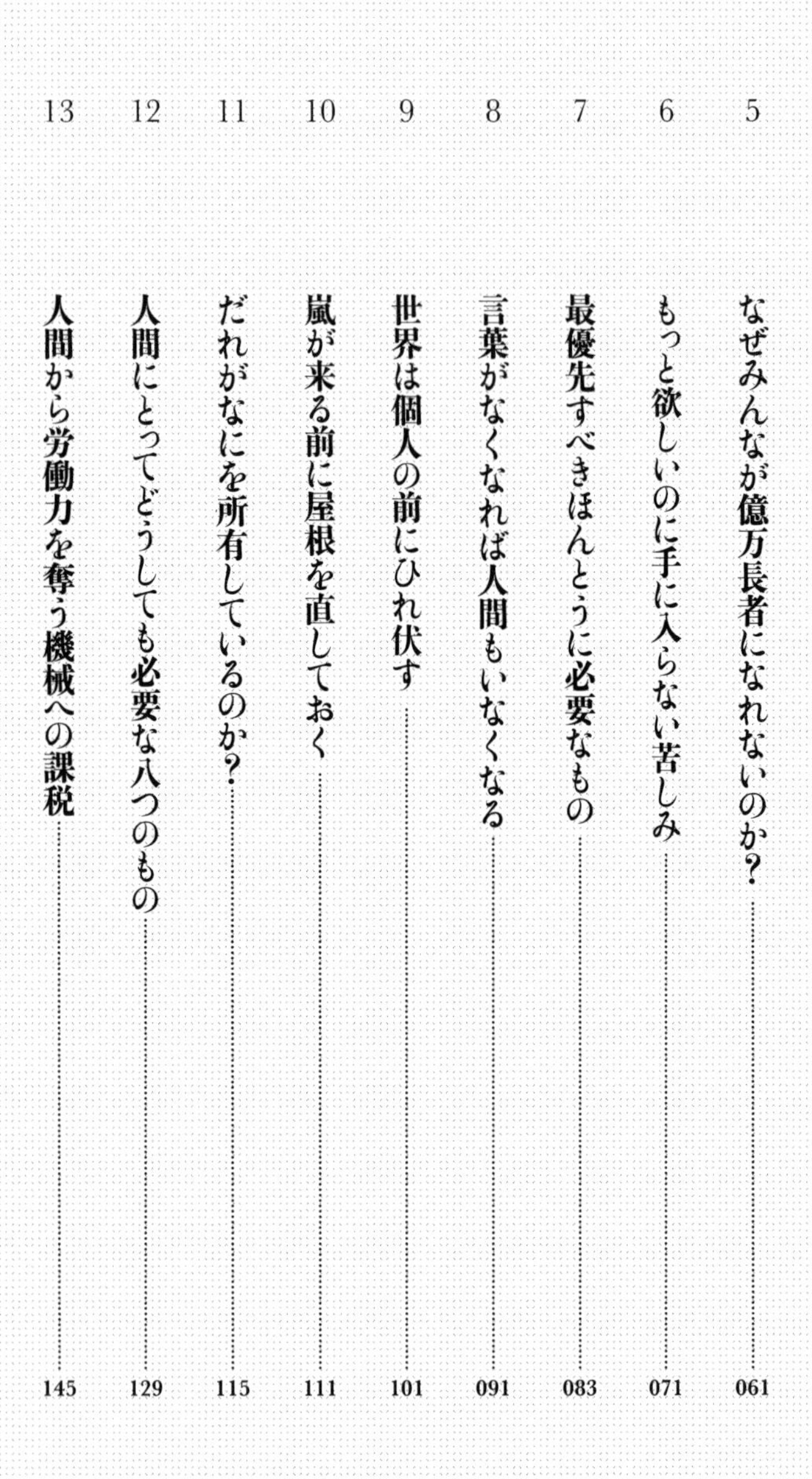

アントピア

0

〈アントピア〉——完璧ではないぼくたち人間のための場所

この本で探求する問題は、とても広くて難しい。取りかかる前に、まずは〈アントピア（Untopia）〉という言葉を紹介したい。現代の政治を語るためには、必要不可欠な用語だとぼくは考えている。

トマス・モアの生み出した〈ユートピア（Utopia）〉という言葉にはなじみがあるだろう。「きわめて好ましい、もしくはほぼ完璧な共同体、あるいは社会」を意味する。でも、この完璧な調和社会である〈ユートピア〉を目指す数々の試みこそが、世界中に壊滅的な打撃をもたらしてきたとぼくは考えている。少なくとも、二十世紀に入ってから今日までの歴史を振り返れば明らかなことだ。人間の持つ、科学や社会・経済理論への誤った信仰が、虐殺、戦争、飢饉、それにどこまでも根深い憎悪を生み出してきた。

とっくの昔に気付いてしかるべきだったのだ。ぼくたち人間は完璧ではない。人間同士の相違点はいくらでもあるけれど、これだけは世界中の人々に共通して言えることだ。

ぼくたちは喧嘩っ早くて頑固なくせに、ものすごく移り気だ。愛すると同時に憎むことができる。矛盾だらけで支離滅裂な存在だ。

経済基盤や新しいテクノロジー、それに無意識の衝動。そういう目に見えないものに、すぐ影響される。その点では〝パヴロフの犬〟並みに単純なくせに、自分では永遠の真理に基づいて、どこまでも理詰めで判断を下せる理性的な存在のつもりでいる。

この思い込みは、見当はずれとしかいいようがない。完璧に理性的な存在など、おとぎ話にしか登場しないのだ。

そういう誤った思い込みを突き崩し、葛藤まみれのぼくたちが、新しい社会や政治の実現に向けて一歩を踏み出す。そのために、〈アントピア〉がある。人間の抱えるさまざまな限界や欠点が受け入れられ、みなの持っている隠れた力や可能性が幅広く認められる社会。ぼくたちには、そんな場所が必要なのだ。

官僚たちが仕えているからくりは、ああしろこうしろとぼくたちにいろんなことをうるさく要求してくる。だが、そんなものはすべて払いのけよう。資本主義でも社会主義でも、この点は変わらない。それはただシステムを存続させるためだけに存在している要求なのであって、従ってみたところで、けっして人間の持つ長所が引き出されたり、可能性が最大限に開花させられたりすることはないのだ。

だから、ぼくは〈アントピア〉を提案したい。これは、物理的な場所——理想郷を指す言葉ではない。むしろ考え方の枠組みのようなものだ。人間を統治する政治のからくりは、うわべだけ見れば深い考えに基づいているように見える。でもそういうものが完璧に機能するなんて、あり得ない話なのだ。まずは、そういう認識から出発しよう。

ぼくたち人間は、手に負えない子どもとかわらない。だから自由に遊んだり、無駄に動き回ったりするための空間がなければ生きていけない。〈アントピア〉とは、そういう認識を広く行きわたらせるための言葉だ。

1

まずはじめに信じたい二つのこと

労働力に支えられた資本の構造。そして、常に変容し続けるその枠組みの中で生きる労働者や消費者が求めるもの。二十世紀の一面を形づくったのは、この二つのあいだの避けがたい葛藤ではなかっただろうか。

戦争、革命、（両陣営の）暴君たち、大量虐殺、地球環境の徹底的な破壊、急速に進歩するテクノロジー、そして盛衰する宗教や狂信があった。哲学や政治の視点からすれば、国家というものは、全身全霊をかけて時代遅れの経済構造に適応しようと努力し、成長を目指してあの手この手を尽くしてきたと言える。ぼくたちは過去の遺物にしがみつき、変革の機会を逃したのだ。人類史上最も凄惨だった、この二十世紀におこなわれた数々の犯罪。それをくり返したり凌駕したりしないためには、変革こそが決定的に重要だったのにもかかわらず。

前世紀は、痛々しい対立に彩られていた。その時代から受け継いだ紛争の火種は無数にある。今この瞬間にも、大量殺戮、人種差別、性差別、同性愛嫌悪、宗教対立、そしてナショナリズムや部族主義といった古くさい考え方が生き続けている。こうしたものによって、ぼくたちの持っている可能性の芽は摘まれ、子どもたちの目の前からは楽園（エデン）*へのかすかな希望の光さえ奪われている。

*ぼくにとっての〝楽園〟とは、ユーピア的な完璧さとは別ものである。人間一人ひとりが最優先される場所のことをそう呼んでいるにすぎない。人間のもっとも基本的な欲求が満たされる場所とも言えるだろう。

これらの問題一つひとつの背後には、それぞれの事情がある。でも、人間と富との関係や、富の分配といったものについてじっくりと考えてみれば、難問を解決するための第一歩が見つかるような気がしてならない。

ぼくたち人間のでたらめな政治や欲望、死の恐怖といったものは、何世代もかけてぐちゃぐちゃにからみあって、解きほぐせないところにまで来てしまった。進歩を目指しているつもりだったのに、被害妄想と勘違いのせいで間違った方向に突き進んできたのだ。

〝暗黒時代〟〝赤色テロル〟〝黄禍〟〝黒んぼ〟などなど、色にまつわるおかしな言葉がたくさんあって、ぼくの目はこういうのに釘づけになる。〝ユダヤの陰謀〟〝共産主義の奴隷商人〟〝資本主義のブタ〟、それに〝アナキストの爆弾魔〟みたいに根拠のない非難もある。

なにかを熱烈に信じる人は、ただちにだれかの敵となる。ぼくたち人間は、思想や理想のせいで憎み合う。しかも思想や理想そのものが、間違った歴史認識と、そこから導き出された、人間という存在についての勘違いから生まれてきた。

ぼくたちの道を阻む、この憎しみと無知と恐怖を払いのけるためにはどうしたらいいのだろう。なによりもまず、恐怖と暴力を使わなくても、社会や政治は大きく変化させられるということ。そしてぼくたち人間はみな、だいたいのところ同じくらいの知性や洞察力、本能や欲望を持って生まれてくるということ。この二つを信じることからはじめたい。生まれ持っての個人的な資質もあるけれど、ぼくたちの持つ共通点の大部分は、社会の中で形づくられてきたものだからだ。昔からよく言われるように、（男であろうが女であろうが）ひとりぼっちで生きている者はいない。だが同時に、この世を去るときにはみなひとりぼっちだ。ぼくたち人間は、その事実によって結び合わされている。

この本では、新しい社会の見取り図を提案したいと考えている。地球上のどこに住んでいても、だれもが信じることのできる、新しい生き方を見つけ出すためだ。裏切り、隷属、大量殺戮という、過去百年かそこらの歴史を染め上げてきたものに別れを告げよう。そんなもの、だれひとり望んだ者はいないのだから。

最初の（そしていちばんむずがゆい）テーマは、（いわゆる）社会主義と資本主義（なるもの）との関係を、互いの欠点を補い合う建設的なものにすることだ。私有財産と利潤の追求を否定すると、生産そのものが成立しなくなるとされる。だがそういう考え方そのものが、ぼくには腑に落ちない。そもそも、人間の交わりすべてが生産活動に基づくというわけではない。その人が社会の中でどういう責任を果たしているのかという視点からだけでは、個々人の人間性まではわからないのと同じだ。だから、労働と生産という視点だけで、人間をあますことなく定義できると考えるのは、愚かな誤りと言える。ならば、ひとは〝社会的な動物〟であるかと言えば、これもまた正確ではない。

2

人間は誤りを冒す

まず、〝社会的な動物〟というものについて考えてみよう。人間や人間同士の関係について、あたりまえのように使われる言葉だ。だがぼくには、ずっと違和感があった。

子どもの頃のぼくは、ほんとうの意味で社会的な生き物たちの持つ、すばらしい社会構造について書かれた本を、何時間も夢中になって読んだものだった。アリやミツバチ、スズメバチ、シロアリたちの世界だ。ハチの巣と女王バチ、ブンブンいう羽音と彼らによって生み出される蜂蜜、ロイヤル・ゼリー、そしてロウでできた六角形の巣。分泌物にまで意識は行きとどき、社会を構成する市民一人ひとりの子どもにいたるまでが、それぞれの役割を化学的に埋め込まれている。ミツバチやハキリアリ、メタンガスを生成するシロアリといった昆虫たちは、ほぼ完璧な、共産主義的(コミュニスト)調和の中で生きているのだ。社会の構成員は一人残らず、仕事あるいは責務を負っていて、彼ら全員がただひたすら社会のためだけに生きている。食料集めから戦争にいたるまで、昆虫たちは一致団結して事にあたる。軍隊を率いる将軍や都市計画の立案者にとっては、理想的な集団だ。

アリに民主主義は必要ない。その小さな心の中では、故国を頌（たた）える歌が高らかに鳴り響いている。仲間のことは香りや味で見分けられるし、自己犠牲を払い、義務を果たすことにためらいを感じる者は一人もいない。彼らの集団はそういうふうに築き上げられ、そのようにして長い年月を生き延びてきた。だれもが女王のために生きていて、女王は国家のために人生を捧げる。市民一人ひとりが、いっさいの見返りを期待することなく労働力を提供する。なにかに選出されたり、お誉めにあずかったり、特別な分け前を手に入れたりすることはない。仲間への信頼は本能に基づいている。だから、哲学、音楽、比喩（メタファー）といったものが必要とされる隙間はない。刑法もいらなければ、法典化された道徳や刑罰のシステムもいらない。

だからこそぼくは、教師や大統領といった人々が、人間のことを〝社会的な動物〟と呼ぶたびに、カルト教団に洗脳された人々の勢力圏に足を踏み入れてしまったのかと首をかしげてしまうのだ。そもそも、ぼくたちがほんとうに〝社会的な動物〟だったとしたら、人を殺したり、レイプしたり、病的な自己嫌悪に苛まれたり、利己的だったりするわけがないではないか。純粋に社会的な動物が、社会階層のようなものを作ったりするだろうか？　そんなもの必要ないだけでなく、本能に反しているにもかかわらず。だいたい、完璧に社会的な動物なら、名前すら必要としないはずだ。名前には、個々人を見分けるという機能しかないのだから。これがいちばん鋭い指摘かもしれない。

もし人間がミツバチの社会に近いものを実現したとすると、それはほぼ純粋なファシズム体制と同じものになるだろう。そのとき政治機構は、何兆トンもの重量を持つピラミッドとなってのしかかり、ぼくたちを押し潰して粉々にしてしまうだろう。〝理想郷（シャングリラ）〟は、たちまちポル・ポト政権下のカンボジア〔一九七六年から七九年にかけての急進的な共産主義政権下に、人口約七〇〇万のうち一七〇万人前後が虐殺された〕と化すのだ。

言葉の定義を正確に追及して何になる？　と問う人もいるだろう。「人間は社会的な動物である」の意味くらい、みんなわかってるだろう。この人間（マン）という言葉には女（ウーマン）も含まれるってことだって同様さ。ぼくたち人間は町に住み、共通の言語を話し、社会階層や宗教や人種やジェンダーに基づいてお互いのことを認識し合っている。そのおかげで人間は力を合わせることができるし、相互に依存し合うことができる。そうしたことすべてが人類を支えているんだし、だからこそ、人類共通の（望ましいとされる）目標に向かって進んでいくことができるんじゃないか、と。

「そりゃそうさ」という声も上がるだろう。「わたしたちはアリとかシロアリとかとは違う。人類ははるかに進化した存在で、六本足の単純な昆虫なんかとは、比べものにならないくらい繊細なきずなで結び合わされてるんだからね」

そのとおり。そうしたことはすべて真実だ。ぼくたちは孤島でもなければ単細胞生物でもない。完全に自律して生きていける存在ではないのだ。人間は頼り合いながら生きている。そして人間には、化学物質の作用も、本能で作り上げた政治構造もない。ぼくたちの知性の幅と感受性は、たしかに、昆虫一匹一匹よりも複雑かもしれない。

だがしかし――

ぼくたち人間は考える存在だ。
だからこそ誤ることがある。

シロアリは考えてもしかたがない。自分たちの巣に必要なものや一族にとっての危機を本能で察知し、行動に移るからだ。まさに完璧な労働者(プロレタリア)の理想像だ。仕事の内容など説明しなくていい。化学的な情報もしくは刺激のひとしずくを与えればたちまちのうちに、個々のアリと一族全体がいっせいに仕事にとりかかる——そこには質問もためらいもない。

人間だとそうはいかない。アリの巣の場合は、集団全体と個々のメンバーとが完全に同じ知識を持ち合わせている。一方、ぼくたち人間は、一人ひとりが少しずつ異なるものの見方をする。特定の文化や信仰の体系、あるいは国家というものに、各々が自分自身を重ね合わせることはあるだろう。だがそれと同時に、人間の心の大きな部分は、個人的な目標や欲望で占められている。ぼくたちはものを集めたり隠したりするし、ひとを愛したりひとのものをほしがったりもする。それぞれの夢や苦悩や死、そして大好きな創作物の世界に身をゆだねるとき、人は社会という構造物の枠組みから外れたところにいる。

だから、ぼくたちは国家や巣といったものに、無我の境地で一〇〇パーセント身を捧げることができない。どれだけ社会主義に忠実であろうとしても、致命的な欠陥が生じることになる。ぼくたちには両親や子どもや恋人がいて、無意識の衝動も自我も持っている。そうであるかぎり、社会主義的なユートピアを実現するためには、ぼくたち一人ひとりが潜在的な脅威となるのだ。どんな体制でも、人間の持っている個々の人格が邪魔になる。だれでもいいから暴君を思い浮かべてみよう。ヨシフ・スターリン〔ソ連時代の最高指導者（任期一九四六——五三）。その大粛清による死者の数は八〇〇万〜一〇〇〇万人という〕からジョセフ・マッカーシー〔合衆国共和党の上院議員。一九四〇年代後半から五〇年代前半に「赤狩り」を展開〕まで、例には事欠かない。

ぼくたちは同じ人間同士だ。自分の欲望を否定しろだなんて、他人に指図することはできない。人間はアリやシロアリにはなれないのだ（とはいえ、いつの日か人間のDNAを改変して、刺激に対して全員がまったく同じ反応をすることができるようになるのかもしれない。だがそんな未来など、実現してもらいたいとは言えない)。人間はこれだけ多種多様なのだから、だれもがほんのわずかなずれもなく一致団結できると考えるなんて、あまりに素朴だし、全体主義的でもある。

まだ納得のいかない人は、こう尋ねるかもしれない。

「人間が社会的な動物じゃないとしたら、わたしたちが築き上げてきた偉大な社会や文化、そして力を合わせて働く能力をどう説明するんだい?」

人間がある程度まで社会的であることは否定しない。ただし、人間がけっして〝社会主義的動物〟でないことはまちがいない。ぼくはこう考えている。共同体という側面を見れば、人間には、羊と猛犬、群をなして移動し続けるバイソンと気高い狼の性質がまざりあっている。つまり群と集団のメンタリティが、人間の思考と身体の深いところにまでしみこんでいるのだ。

力を求める心は、子宮の中で植え付けられたものではない。社会の中でもまれるうちに身につくものだ。そしてぼくたちは、社会の中での役割をすすんで受け入れるわけではない。訓練され、叩きのめされ、しかたなく自分の人生を受け入れるところにまで追い込まれるのだ。そうして、ほとんどの人は人生と折り合いをつける。それでもまだぼくたちは宝くじを買い、テレビに登場する英雄に自分を重ね合わせる。いつの日か、ほかの人の持っていないものを手に入れたいと熱く夢見ながら。

3

いったい誰のための進歩なのだろう?

一方には、悪びれることのない資本家たちがいる。資産を持ち、あらゆるかたちの貧困を生み出す人たち。工場を所有し、その中にある機械設備と資材を所有し、工場の建っている土地だけでなく、資材を生み出す土地も所有している。その資材が、工場の中で商品へと姿を変えることになる。資本家は人も所有している。彼／彼女は政治指導者や議員に金をわたし、議会で自分たちに有利な決定が下されるように手を回している。つまり政治家たちは、有権者ではなく資本家の望みにしたがって行動している。

彼女／彼は、あらゆるマスメディアを意のままにしている。広告を通して、美しさの基準と人々が求めるものを決めている。なにが美しいとされるべきなのか、なにを欲しがるべきなのかという価値観を、ぼくたちの中に刷り込んでいるのだ。

だがなによりも、資本家はすべての労働者の労働力を所有している（すくなくとも、九十九年契約で借り上げていると言いかえられる。つまり一人の労働者の一生分ということだ)。その労働力こそが土地を切り拓き、耕し、火をおこし、原材料を加工し、最終的には商品を買う。自分たちが生み出したというのに、購入の瞬間までは一度も所有したことのなかった商品を。

資本家は、労働力によって生産された商品の価値よりも低い賃金を、労働者に支払う。なぜならそうしなければ利潤が生まれず、利潤が生まれなければビジネスは破綻し、労働者が職を失うからだ。だから、労働者が働き続けることができるように、資本家は利潤を生み続けなければならない。

そういうわけで、一八ドルの製品を作る労働者に、資本家は時給制で九ドルを支払う。とても単純な、資本主義の計算式がここにある。商品の価格は、その商品を作るための費用を上回っていなければならない。さもなくば、システム全体が崩壊してしまう。

これはたしかに、かなり単純化した話ではある。でも、この解釈に異議を唱える経済学者はいないだろう。利潤と生産ラインは、資本を守る防波堤だ。子どものミルクとか、年金生活者の身体を温める服とか、囚人への刑罰とか、映画館から出てくる観客の笑顔とかいったものは関係がない——資本とは金であり、金が枯渇すれば、資本家連中はその商売に見切りをつけて次に進むほかないのだ。

告発をしたいわけではない。そんなことをしても、ライオンに対して「おまえは捕食動物だ」と非難するようなものだからだ。罠を張り巡らせて、のんきにそこいらを動き回っているエサを狙ったからといって、クモに責任を問うてもしかたがない。ただし、人間の身体は年老い、やがては動かなくなるものだという事実を指摘しても、人間の死すべき運命を非難していることにはならないだろう——ぼくはただ現実をありのままに見つめ、どうにかしてそこから最善のものを引き出したいと考えているのだ。

すこしの利益はちっとも悪くない。街角の食料品店のおやじが五〇セントで缶詰のトウモロコシを買う。その缶詰を一つ六五セントで売る。この三〇パーセントの割り増し分で、おやじは家賃を払い、従業員の給料を払い、光熱費を払い、そのほかの経費を払う。そのうえで、できれば、何セントかを自分のポケットに入れるのだ。そこにおかしなことは一つもない——ただし、工場でトウモロコシを缶に詰める労働者が一缶につき一〇セントしか稼げず、その次の週には缶詰ロボットが導入されたことで、彼らのほとんどが解雇され、残された労働者たちの稼ぎも以前より少なくなる、なんていうことがあったとしたら話は別だ。

これは、ほんとうに繊細な帳尻合わせなのだ。資本家一家(と投資家たち)は、最大数の缶詰を売りながら、生産にかかる費用を最小に抑えなければならない。つまり、労働者の賃金は、できるかぎり低く抑える。だが同時に、彼ら自身の生産した缶詰を購入できる程度の現金(そしてもちろんクレジット・カードの支払い能力)が、労働者たちの手元に残るようにもする。これが資本家の仕事にならざるを得ないのだ。

結果として、労働者は貧困ぎりぎりのところで生活し、ビジネスは栄えることになる。費用と売上のバランスが完璧な状態にあれば、資本主義国家の経済、つまり資本主義世界は繁栄するだろう。資本主義の教科書はそう説明する。投資家は配当金を受け取り、ビジネスは拡大し、科学と技術によって人々は貧困あるいは死へと追いやられる——ほとんどの場合、両方の結果が現実のものとなる。そうして気がつくと、ぼくたちは大都市のスラム街で暮らしていて、犯罪者あつかいされ、投票権を失い、教育も受けられないまま単純作業に従事していることになる。そんな生活が、最初の逮捕から死ぬまで続くのだ。

悲しいのは、この大きな経済の歯車の中に、悪人が一人もいないということだ。ジョン・スタインベックが、一九三九年の小説『怒りの葡萄』の中で見事に描き出したとおり、問題はシステムの方にある。システムが労働者を作り出し、資本の所有者すらをも支配している。どのようにしてビジネスを動かすべきなのかということに関して、人間には選択の余地がない。その点では、アリの巣の女王に選択の余地がないのと同じだ。利潤を生み出すマシンは、動きだしたら最後、労働者をひとり残らず踏み潰しながら、地獄への片道スーパーハイウェイを全速力で突っ走っていく。人間にできるのは、そのマシンに飛び乗って決められたプログラムどおりやっていくか、〝進歩〟の速度に粉々に打ち砕かれてしまうことだけだ。

いったいだれのための進歩なのだろう？

この矛盾に充ちた疑問文を目にすると、ぼくはすごく興奮する。前章に登場した〝社会的な動物〟を、資本というものの定義の中に持ち込めるからだ。費用と消費のシステムは、労働者の人生なんか気にしていない。考えているのは、彼らがどのくらい生産する力を持っているのか、そしてどんなものを欲しがっているのか、また消費するための経済力はどのくらいなのかということだけだ。ミツバチの巣では、女王以外のメンバーは全員、使い捨てにされる。資本主義においては、すべてのメンバー——一人の例外もなくすべてのメンバー——が使い捨てだ。巣が存続し続けるかぎり、巣そのものは成功をおさめているということになる。同じことは企業についても言える。どちらの組織でも、構成メンバーは、巣や企業のかかげる〝大きな目標〟のために身を捧げる。こういうシステムが完全な形で現実のものとなったら、負けるのは生命ある構成メンバーの方だ。

ハチやアリなら、大きな集団の奴隷になっても気にしないだろう。でも人間なら気にする、とぼくは思う。そういうわけで、ぼくたち人間が発すべき質問はこうなる。

「自分の人生をただ生き抜くだけでなく、ときには成功をおさめつつ、同時に、広い意味での文化の一翼を担うためには、どうしたらいいのだろう?」

4

人間は交換可能な部品にすぎない

いったいだれのための進歩なのだろう？
（いわゆる）社会主義と資本主義（なるもの）。この二つのシステムは、完全に理屈のうえだけの（幾何学的とすら言える）存在だ。永久に進化し続けるそのからくりからすると、人間は取り替え可能な部品にすぎない。たしかに、これら理論上の生き物にとって、ぼくたち人間というのは欠かすことのできない要素ではある。だが、人間の身体にとっての血液細胞や神経のことを考えてもらいたい。欠かせないものではあっても、細胞一つひとつの気持ちを考える人などいない。それと同じことなのだ。そして神経をコントロールするには、麻酔をかけるほかない——さもなくば切除するか。

この二つのシステムを支えているのはぼくたちだ。しかしシステムの方は、ぼくたちのことなど気にかけていない。そんなことはできないのだ。だからこそ、システムの方を作り変える（と同時に作り直す）必要がある。社会の中で生きている個々のメンバーが持っている可能性に、きちんと見合ったものにするためだ。この努力を怠れば、〝進歩〟の名の下に、強制収容所が作られたり大量虐殺がおこなわれたりすることになるだろう。奴隷労働が企業戦略の中に（再び）組み込まれ、民主主義は、たった一人の独裁者を国民全員が選出するための制度となる。

　砂糖は甘い。みんなの大好きな味だ。新鮮なリンゴ、ひとつかみの赤いベリー、まだ雪に閉じ込められている春のはじめに流れ出るカエデの樹液――ほとんど全員が求めるおなじみの味覚がそこから得られる。ぼくたちは〝甘い（スウィート）〟という言葉を、かんじのいい人柄やキスや最高の結果をもたらす場所（スウィート・スポット）を表すときに使う。人間は甘さを追い求め、この味覚を何千年にもわたって磨き上げてきた。人類という種が誕生したときから続けてきたに違いないこの探求の過程で、砂糖、アルコール、コーン・シロップが生み出された。純粋な甘さを追及した結果、依存性が高く命取りになりかねない物質が手に入ったわけだ。サトウキビやテンサイ、コーンを栽培するために、奴隷や年季奉公という労働の形態が駆使された。砂糖製品を摂取しすぎると、心臓病や肥満、糖尿病や早死にを招き、子どもを病的な過活動状態にする。精製されすぎた小麦粉や肉、タバコと同じだ。こうして文明世界全体が、強迫的な依存症におぼれるライフスタイルの虜となった。

とはいえ、誤解しないでもらいたい。これは依存症についてのエッセイではない。人間を支配し、特定の食べ物や飲み物、タバコや注射に依存させる現代文明について語りたいわけではない。そうではなくて、ぼくが興味を持っているのはこういう事実のほうだ。つまり、人間は欲望を追求することで毒を作り出してきた。望むものを追い求めた結果、ぼくたち自身の身体や人間関係、そして社会制度をめちゃくちゃにするようなシステムを生み出してきたのだ。

人間は完璧でも純粋でもない。ぼくたちは、争いごとや矛盾、笑いや悲劇、愛や憎しみを抱えて生きている――力を合わせる本能は持っているけれど、殴り合う本能も備えている。人間の持っている輝かしい知性は、〝神経症〟や〝精神病〟、またそのほかの身体的・精神的な病に冒されていて、ぼくたちの毎日の生活はあらゆる面で、いやおうなくその影響を受けている。ぼくたちは暴力を崇め、大量破壊兵器を生産する。何千万ものコンゴの人々が殺されレイプされていても、その事実を何のためらいもなく受け入れる。刑務所で男性がレイプされるという内容のジョークに笑い声をあげる。〝血塗られたダイヤモンド〟〔アフリカにおける紛争当事者の資金源となっている〕について抗議の声をあげる人はいても、同じアフリカからやってくる石油、木材、綿、チョコレート、コルタン（コロンバイト＝タンタライト〔電子部品用の希少金属タンタルなどが抽出される〕）といったものを、〝血塗られた〟と形容しようとは考えない。耳に装着したり舌で味わったりするものが、アフリカから来ているかもしれないという想像は働かないのだ。

ぼくたちは、世界中で天然資源を掘り出し、浪費し、所有できないもののの所有権を要求している。

人間は、そもそも所有などできないものについての所有権を主張しているのだ。

「土地を持っている」という話をよく聞く。町の反対側の一区画だとか、ヴァーモント州の農場や、カリフォルニア州のパームデザートあたりにあるモジュラー住宅〔既成の部材で組み立てられる住宅〕の建つ一画だとか。「あの土地は、何世代にもわたってあの一家のものだった」なんていうセリフを、どれだけ耳にしてきたことだろう。

少しでも理屈で考えてみれば、そんなに巨大なものを所有していられる人間などいないことがわかるはずだ。人間も企業も国家も、どちらかといえば短い期間、土地を占有する。でも、やがて所有者は滅び、地上から消え去る。それでも土地は同じ場所にある。生物が所有権を主張したところで、土地のほうはそんな概念を持ち合わせない――ただその生物を自分の上に住まわせ、彼らと共存するだけだ。

命あるものにとっての所有権とは——そんなものがあったとして——期限付きの仮契約でしかない。ポケットの中にある硬貨だとか、頭に生えている残りわずかな髪の毛ですら、ぼくと一緒にいられる時間はすごく短い。そこにはつかの間のつながりしかないのだ。そもそも、〝所有権を主張する〟という表現じたいの中にその事実が織り込まれている。〝所有権を主張する〟ということは、つまりその財産があなたに帰属していることを主張する意志の表明なのであって、数値化できるようなゆるぎなく客観的な事実を表しているわけではないのだ。農業を営むジョーンズさんの身体と、彼が鋤き返している畑とをつなぎ合わせる鎖など存在しない。ジョーンズさんは地面を耕して収穫を数十回かくり返したら、亡骸となって地面の一部に戻る。こうしていわば、その土地は大空に取り返されるわけだ。

所有の概念は、この本で提案したいと考えている社会主義と資本主義の

〝電撃結婚〟にとって、きわめて重要なものとなる。なにかをリースしたり、レンタルすることはできる。所有権を主張して使うこともできる。でも、ほんとうの意味で所有することはできない。ぼくたち人間には、不可能なのだ。

物質世界を所有することはできない。同様に、モノの価値を決める唯一普遍の基準など存在しない。六オンスの純金の塊には、本来、同じくらいの純度を持つ別の六オンスの塊以上の価値はない。エネルギー、食糧、生地など、どんな商品でもその価値は市場で決まり、通貨という抽象化された数字によってそれが表現される。ほんとうの意味で変動するのは、労働への対価だけだ。

何世紀にもわたって、男性とまったく同じ仕事をしている女性が、男性よりも少ない対価しか手に入れられなかった。歴史のある時期には、アメリカやロシアをはじめとする世界のほとんどの地域で、〝自由〟な労働者を雇うよりも奴隷を使う方が安上がりだった。ある地域での生活費が、別の地域での生活費より低いということもある。政治的な抑圧があったり、どの程度の生活水準を標準的と見なすかという基準がばらばらだったり、文化や体制の一時的な急変が起こったりするからだ。

資本主義の中では、国内外の市場で勝ち抜くために、労働の対価を安く抑えるための努力が求められる。ある一人の中国人労働者が、時給四〇セントでペンキを生産する仕事に就くことを受け入れた、もしくはむりやり受け入れさせられたとしよう。すると、それまで最低賃金〔二〇〇九年以降、アメリカでは時給七・二五ドルとされている。ただし、これよりも高い最低賃金を定めている州も多く、たとえばワシントンDCでは二〇二〇年七月から一五ドルに引き上げられた〕を対価としてペンキを生産していたアメリカ人労働者は職を失う。そしてメキシコ、中米、ヨーロッパ、またアフリカの労働者たちも、同じ苦境に立たされる（その結果、抑鬱状態に陥ることもあるだろう）。

ある女性が、段ボール箱を作っていたとする。毎日のパンを買うためだ。もしその仕事をロボットに奪われたら、彼女はゼロから身を立て直さなければならない。経済システムの側にとって、その女性が生きようが死のうが、再就職しようが失業しっぱなしだろうが、どうでもいい。重要なのは、段ボール箱をどれだけ生産できるのか、そしてそれをどれだけ売れるのか、ただひたすらそれだけなのだ。

この事実を前にして、こう考える政治哲学者や革命家たちがいるかもしれない。つまり、段ボール箱作りの仕事を奪われた労働者にとって、その状況を解決する唯一の方法は社会主義なのだ、と。そういう偉大な思想家たちはこう訴えるだろう。「労働者は、社会システムそのものを打ち倒さなければならない。なぜならそれは、社会の一員である労働者が必要としているものを提供できないような、できそこないのシステムだからだ。下級の働きアリには民主主義など要らない、とするような社会ではないか。

この中に留まるかぎり、どれほど異議申し立ての声を上げたり、投票行動で意志を示したりしても、大資本家たちにとっては痛くもかゆくもない。ロボットがあれば、専門知識を持った労働者など必要ないのである。なぜなら、ロボットは十倍の速度と半分の経費で仕事をこなせるからだ。これこそが、まぎれもなくわれわれの生きている現実世界なのである」と。

ようするにこういうことだ。丸一日働くことで、家族のために一斤のパンを買えるだけの稼ぎを得ている労働者がいたとする。ところが、それを給料として受け取るときには、すでに半分が税金として抜き取られている。金持ち連中の飼っている、〝民主的に選出〟された子分たちのしわざだ。そして、同じく金持ち連中の所有しているスーパーに立ち寄ると、そこでは別の子分たちが高値をふっかけてくる。そのせいで、結局のところ手に入るのは、わずか数切れのパンだけということになる。本来であれば、パン三斤分にあたる労働をした人間が、一斤分の給料しか手にできない。そしてそれもまた税金などによって奪い去られる仕組みになっているというわけだ。

　こうした犯罪行為の罪を、だれかに贖(あがな)わせなければ。そんな想いをたぎらせながら赤いシャツを身につけ、段ボール用カッターを研ぎ上げていれば、少しは気が晴れるかもしれない。でも、ほんとうの満足は得られないだろう。

5

なぜみんなが億万長者になれないのか？

理性に基づく革命とは、社会を変えよう――願わくば良い方向に――という試みである。その際、しばしば暴力が手段として用いられる。そして今日、世界中のほとんどの人が変化を求めている。医療保険制度や、健康的なライフスタイルを必要としている。レイプや殺人から逃れ、金持ちになるチャンスを欲しがっている。ぞっとするほど裕福な最上流階級の一員と認められ、下々の市民たちの労働に支えられながら、彼らの上空を漂う――飲料水の表面に浮かぶクソのような――生活を夢見ているのだ。

血塗れの革命がこうした変化を引き起こすと言うのなら、ぼくはどうしても邪魔せざるを得ない。金持ち一族と彼らに投資する連中を殺しさえすれば、有史以来初の楽園が必ず現実のものとなる。もしそう信じられるのなら、ぼくだって邪魔はしない。かなたで響き渡る悲鳴に気づいても、口を閉じ、両目をおおい、耳をふさぎ、感情に蓋をするだろう。彼らは、世界が進歩するための犠牲者となるのだ。

殺人を犯しさえすれば、すべての人間が調和の取れた共同体の中で生きられるようになる。ちょうど、ぼくの愛するアリやハチたちのように。そう信じられるのなら、ぼくだってゲリラや殺戮者たちの一員になるだろう。やがて調和に充ちた世界が実現した暁には、その過程でぼくが抱えることになるPTSDや古くさい罪悪感が癒やされることを願いながら。

人間の女性や男性が、ハチやシロアリのようになれると信じられるのなら、ぼくは蛮刀(マチェーテ)を研(と)ぎあげて、自分の目玉をくり抜こう。

でも、人間はもともと、完璧な社会的動物にはなれないようにできている。ぼくにはどうしてもそう思えるのだ。ぼくたちは自分勝手で、悲しくなるほど欠陥だらけだし、縄張り意識が強いうえに好戦的だ。そういう獣の集団である人間は、自分たちの理解をはるかに超えた道具を生み出してしまった。ぼくたちは、核兵器という棍棒を握りしめながら、洞窟に隠れ住んでいる。ぼくたちのほとんどは奴隷の来孫(らいそん)であり、自分の一族のことしか気にかけない、民主主義という名の巨大なクラブの一員だ。心の自由を奪われたまま身体の自由を自慢する、（市民というよりは）群衆にすぎない。文字が読めても、教養はない。自分の犯している罪には気づかないくせに、シェイクスピアやアイン・ランド〔二十世紀の作家。代表作に『肩をすくめるアトラス』など。リバタリアニズムに大きな影響を与えた〕、ヨシフ・スターリンには通暁している。

戦争と革命は、人間が過去から受け継いできた負の遺産だ。ぼくたちは征服し、滅ぼしてきた。はるかアッシリア帝国〔紀元前七世紀までにオリエント全域をはじめて統一した世界帝国〕の時代や、そのずっと前からやってきたことだ。ぼくたちは、傑出した指導者たちのほとんどを絞首刑にし、銃殺し、毒殺し、暗殺してきた。ぼくたちは神と自由の名の下に戦う。北アメリカの植民地は、自由をもとめてイギリスと戦った。このとき、自分たちは奴隷を所有したままだったのだから皮肉な話だ。ごく最近も、コンゴで進行中の大虐殺には目をつぶったまま、イラクとアフガニスタンを灰燼に帰させた。ぼくたちは利益と土地のために戦う。またぼくたちは、自分では制御できない恐怖に駆られて戦う。専門家や指導者、あるいは友だちのふりをしたウソつきや盗人たちのせいで、心の奥深くに植え付けられた恐怖だ。

指導者も軍隊も、必要なものをくれない。革命や社会主義の理想そのものには、ぼくたち人間を優れた存在へと生まれ変わらせる力はない。

ここでちょっと立ち止まって考えてみよう。一歩下がって、ぼくたち自身やまわりの人たちの顔を見つめてみよう。地球上の人類一人残らず全員（でなければほとんど）が賛同できるような、世界のありかたはないものだろうか？　充分な食糧とやさしさと楽しい気晴らしのある世界。愛だとか信念だとかが、許容されるというよりも最優先事項とされるような世界が。

そこにこそ、（いわゆる）社会主義と資本主義（なるもの）をつなぐ、そして民主主義と、社会の中で生きる個々人が持っている権利とをつなぐものがある。

前提とすべきことは、本能だけで生きる完璧な（あるいはほとんど完璧な）存在でなければ、完璧なシステムを機能させていくことはできないという事実だ。群をなして飛ぶハチやアリの巣は、人間社会よりもすぐれた社会システムを維持している。ニシンや渡り鳥の群は、人間社会よりもはるかに洗練された社会の仕組みを持っているのだ。

ぼくたち人間は、魚の大群やほんとうの意味で社会的な昆虫なら備えている、群の本能のように極端なものには、簡単には惹きつけられない。ぼくたち個々人は、反社会的で神経症的、攻撃的で気まぐれ、頑固で間違いだらけだ。一人ひとりが死という悲しい宿命を抱えて生きている。ぼくたちは、もっともっと欲しがる。それは、欲しがることができるからだし、考えたり災いの兆しを読み取ったりできるからだ。ぼくたちは協力し合うが、それは必要に迫られてそうするだけで、純粋な本能からではない。それに、意志がぶれることのないアリとは違って、ぼくたちはしばしば、自分でも間違っているとわかっていることを実行に移すことすらある。

こう書くと、社会主義批判だと受け取られるかもしれない。社会主義というシステムにおける、能力と必要性だけに基づいて決められる〝公平さ〟というものを非難しているのだと。でも資本主義だって、その純粋なかたちを見れば、同じくらい非人間的な社会システムであることがわかる。そうではない、とみんなは否定するわけだが。

資本主義あるいは自由市場は、しばしば個々の人間が持つ、好きなものを好きなだけ生み出す基本的な自由によって定義される。資本主義において、個人や組織は富を自由に集める権利を持つ。その富とは、個人や組織が生み出したり作り出したりするものだ。だから、もしぼくが一〇億ドル稼いだら、その一〇億ドルはぼくのものだ。ぼくが自分の稼ぎを使って資産を購入したら、その資産はぼくのものだ。ぼくが自分の富を使って、ほかの女性や男性に頼みごとをしたら、その頼みごとによって手に入るものはぼくのものだ。ぼくがある女性に労働の対価を支払えば、その労働と、そこから生まれるすべてがぼくのものになる。

資本主義の中で生きる者にとって、富とは大海原のようなものだ。広すぎて対岸は見えない。深すぎて、どこまで潜っても底にたどり着けない。単独の個人にとって、この富の大海は無尽蔵に感じられる。だからこそ資本主義においては、人間同士のゆるいつながりや富の蓄積といったものが、限られた機会とは見なされない。ある程度賢くて勤勉な人間ならば、だれでも好きなだけ富を生み出せると、だれもが思い込んでいられるのだ。

ぼくたちは、みんな億万長者になれる。

ではどうして、現実にはそうなっていないのだろう？

なぜなら、資本主義におけるすべての富の基礎には、労働があるからだ。

たとえば土地は、人間がそこから価値を収穫しようと考えるまでは価値を持たない。人間か機械が土地を耕し作物を植える、掘削し採掘する、もしくは土地の上に建設したものを販売する必要がある。この世界、この宇宙は無限に見えるが、労働力の総量は常に変動しているし、限りがある。月曜日には一〇億人の労働者がいる。それが火曜日には一〇億四〇〇六人になる。だが金曜日から一週間後には、コンゴでの騒乱によって、全世界の労働力は九億九九四〇万三八六七人に減る。この数字こそが、生産可能な富の限界値となる（当然ながら、ここには自律型ロボットは含まれない）。

富は労働力によって生み出される。そして労働力には限りがある。つまり、富にも限りがあるということだ。もし世界全体で一年間に生産される富が、たとえば一人あたり九万ユーロだったとしよう。だが世界中には、何千人もの億万長者や超巨大企業が存在する。そこに吸い上げられる莫大な富を全体から差し引くと、残りの人々に行き渡る富は平均以下となる。

富の全体量に限りがあるからだ。それどころか、一人あたり九万ユーロ以上の富を獲得している人々やその企業の取り分を、富の全体量から引いてみると、マイナスの数字が算出されるだろう。このマイナスの数字こそが、それ以外の人々——大多数の人々——が抱えている負債なのだ。

6

もっと欲しいのに手に入らない苦しみ

さて、ここで社会主義という妖怪の登場だ。この考え方を、政治の仕組みとして完全に機能させるには、さまざまなものに目をつぶる必要がある。個人主義、自己実現を目指す努力、競争といったものの持つ価値だ。それから、私有財産を巡るあの永遠の闘いも手放す必要がある。社会主義というシステムは、羽音をたてるミツバチたちや、化学物質によって意思を疎通させるアリたちの世界においてのみ、完璧なかたちで実現するのだ。

その一方で、資本主義というものもある。このシステムが支配する世界は、闘技場と化す。人々は金（カネ）という賞品を獲得するために、金を武器に闘い続けるのだ。すべては金次第。食糧、愛、敬意、知識、そして人生そのものですら、自分で稼ぎ出した金がなければ手に入らない。ただし、富と労働力が持つ性質のせいで、ほとんどの人が充分な金を稼げない。だから貧困は避けられない。そして、もし生きているあいだに自分の生産能力が尽きてしまったら、その人に残された道は死ぬことだけになりかねないだろう。

純粋な社会主義のもとでは、人間がどうしても捨てきれない個人主義は、精神的な欠陥とみなされる。

純粋な資本主義のもとでは、個々人の所有権は侵すことのできない絶対的な権利とされる。

社会主義では、プロレタリアートの独裁によって決定されたルールに従わなければならない。

資本主義では、一人ひとりの人間がかけがえのない存在で、好きな種類と大きさの家を建てられる。

社会主義では、個々人の労働力は国家の所有物だ。

資本主義では、個々人の労働力は金持ち連中の所有物だ。

社会主義では、ほとんどの人間が社会の求めに応じて行動しなければならない。

資本主義では、ほとんどの人間が負債の沼に誘い込まれる。

一世紀にわたって、（それぞれに長所を持つ）この二つのシステムは、対立関係にあった。

そろそろ、この二つのシステムから牙を抜くときが来ているのではないだろうか。ぼくたち人間は、どちらのシステムにも向かない欠陥だらけの存在なのだ。その事実に気づくときが来ているとぼくは感じる。二つとも、その理想型においては、すばらしいものであると同時に命にかかわる危険性をはらんでいる。その意味で、どちらかのシステムを選択するということは、子どもの血管に直接、白糖の注射を打ち続ける行為に似ている。

ぼくたちがすべきことはこうだ。まず、この二つのシステムを支える政治思想を議論の中心から取り除く。次に、ぼくたち人間がほんとうに求めているもの、必要としているものとはなんなのかと、自分たち自身に問いかける。そのうえで、この二つのシステムが提供していた道具（ツール）の中から必要なものだけを取り出すのだ。システムは生き物ではない。だから、それに対する忠誠や義務なんてものは必要ない。ドライバーという工具に愛を向けても意味がないのと同じだ。

ぼくたちは、個人としてなにを必要としているのだろう？　そして集団としては？

これはとても難しい問題だ。なぜならハチと違って、すべての人間はそれぞれに異なる存在だからだ。文化やジェンダー、年齢や社会階層による相違点もある。ぼくたち（のほとんど）全員にとって正しいものを決めるというのは、気の遠くなるような作業だ。でも、現状を冷静に見つめ直すためには、避けて通れない過程でもある。

何カ月か前、ぼくは友だちとおしゃべりをしていた。彼女は、大金持ちになる方法を模索していた。エクササイズ教室をはじめれば、数百万ドルを稼ぎ出せるかもしれないと言うのだ。

ぼくは「どうして？」と尋ねた。すると彼女は、教室で提供するサービスがいかにすばらしいかという説明をはじめた。でもぼくはそれをさえぎり、「きみの計画が成功する根拠じゃなくて、ぼくが訊きたいのは、どうして数百万ドルの稼ぎが欲しいの？　ってことさ」と言った。

この手の質問は、アメリカではとても珍しい。「どうして億万長者になりたいのか、だって？　いったいなんなんだよ、その質問は？」というわけだ。だれもが億万長者になりたがっている。すすんで職場に行きたがる人間など一人もいない。職場というのは、自分の労働力を、それに見合う額よりも安く切り売りするための場所だからだ。

ぼくの友だち、Xさんは問い返した。

「どういう意味？」

「きみにはちょうど良い広さのアパートがあるし、この町の中でもかんじのいい地区に住んでるじゃないか」とぼくは応えた。

「そうね」

「三部屋あって、大きなベッドとかわいらしいバルコニーもある。きみの部屋は三階にあるんだっけ？」

「そうよ。それがなに？」

「仕事は好きだし、友だちもたくさんいる」

「でもお金持ちになったら、なんでもできるようになるわ」

「永遠の命を手に入れるとか？」

「そんなわけないでしょう」

「恋人を見つけるとか？」

「うーん……それはあるかも」

「二つ以上の部屋に同時に存在するわけにはいかないし、今のベッドはきみが寝るには充分な大きさがある」

「でも、もっと欲しいのよ」

友だちは、この最後のセリフを実際に口にしたわけではなかったと思う。でも、そういうニュアンスが伝わってきたのだ。ほとんどの人が、地球上のどこに住んでいる人であっても、「もっと欲しい」と感じている。もっと金が、もっと恋人が、もっと子どもが欲しい。もっと尊敬されたい。もっと信心深くなりたいし、聖人君子になりたいし、大統領にだってなりたい（あるいはすくなくとも、大統領に耳を傾けてもらいたい）。他人の家の芝生が欲しいし、そうこうしているうちに、隣人の妻や家や銀行口座だって射程内に入ってくる。それに、復讐を求めてもいる。自分の中にある説明のつかない痛みをだれかに贖わせたいのだ。

社会主義と資本主義という名のドラゴンは打ち倒された。そしてぼくたちは今、粉々になったその骨の上に新しい世界を築き上げようとしている。そのためには、ぼくたちがほんとうに必要としているもののリストを作らねばならない。そのとき、この〝欲しい〟という言葉こそが重要なカギとなる。

多くの人々が、もっと欲しがる。ぼくたち人間は、森で生きる動物とは作りが異なるのだ。空腹と食糧への欲望が直結していたり、ある特定のフェロモンを嗅ぎつけたとたんに交尾へと駆り立てられたりはしない。ぼくたちの抱えている憎しみや愛といったものは、本能によって植え付けられたものではない（すくなくとも完全には）。

ぼくたちはもっと欲しいと思う。着れないほどの服、寝泊まりできないほどの数の部屋、生きるために必要な量を超えた食糧、使い切れないほどの金、それからなによりも、もっと生きたいし、もっと笑いたいし、とてつもなく深いオーガズムのような満足を得たい。古い車がまだ動いていても、新しい車が欲しい。家に帰ればほんとうに愛し合っている人が待っているというのに、バーカウンターの向こうの端に座っている人にそそられる。隣人が持っているものならなんでも欲しいし、テレビに出ている男が持っていると話しているものも欲しい。街中の広告が「ここの水はきれいだし、美人がたくさんいるし、みんなほとんど裸で生活しているよ」と訴えかけてくるので、そんな土地に行きたいと願う。

資本主義は、この〝もっと欲しい〟に火を点けて煽り立てる。社会主義は、それを〝異端〟として激しく徹底的に弾圧する。どちらにせよ人々は不満を募らせ、一触即発のぎりぎりの状態へと追い込まれていく。

ぼくたちは欲しいと思うが、たいていの場合は手に入らない。欲しいとは思うけど、手に入れてはならないという矛盾した状況にしばしば置かれる。もしぼくたちが欲しいものを手に入れたら、その代償はだれか別の人が払うことになる。ぼくたちはその事実を忘れ去ろうとしながら、欲しがり続ける。

ぼくたちはなにを欲しがっているのか。それを見きわめるためには、自分自身がほんとうに必要としているもの、そしてほかの人たちがほんとうに必要としているものを考慮に入れなければならない。ぼくはそう信じている。

大きな家を持つのはいい。エクササイズ教室で数万ドル儲けるのもいい。だがそれによって、貧困や飢餓の原因を生み出すのはいけない。自分が贅沢するために、ほかの人々が苦しむことがあってはならないのだ。

もっと欲しがるのは人間の性（さが）だ。ならば必然的に、人間は分かち合うことを考えなければならない。

7

最優先すべきほんとうに必要なもの

さてここまで見てくると、社会主義と資本主義、両方の欠点を克服する〈アントピア〉を考えるうえで重要な要素は〝必要なもの〟である、ということがおわかりいただけたと思う。二十一世紀にふさわしい政治のありかたを体系的に考えていくためには、ぼくたちがこれから作り上げる新世界とその住民がなにを必要とするのか？　という問いに答えなければならない。

生き物として必要なものはたくさんある。なによりも、ぼくたちは生き続ける必要がある。少なくともほとんどの人間はそう考えている。生きるためには空気と水が必要だし、耕作に適した土地とそこから収穫する食糧も必要だ。ぼくたちが必要とするものは、拡大しながら変化し続ける。それに応えるためのテクノロジーも必要だ。そのテクノロジーを活用し、進歩させていく知性を育てるための教育もしかり。しあわせと美と愛と仲間も欠かせない。人間社会の中で許される限りの、行動や信条の自由もそうだ。

ぼくたちには、平等であることも必要だ——これこそ、自由への唯一の途(みち)だからだ。

このように〝必要なもの〟を細分化していくと、難しい問題に突き当たる。人間が生きていくためには、最低限必要なものがある（たとえば食糧、水、健康など）。また、それがなければ生きている価値がないという、実存的な意味で必要なものもある（たとえば愛、アイデンティティ、共同体、アート）——一人ひとりの人生に、生きる意味を与えるものだ。それにくわえて、特殊ではあるけれど、その人にとってはぜったいに欠かせないというものもある。たとえば、脚を失った人にとっての移動手段のように。

このように、欲望にそって線を延ばしていくと、〝必要なもの〟の先に、〝欲しいもの〟が姿を現す。

平等であることが自由を定義する。それと同じように、人間には、生きていくために最低限必要なものを手に入れる権利があるとぼくは思う。食糧を必要としている人には、食べ物を提供しなければならない。病に倒れた老女は、癒やさなければならない。溺れる子どもは救わなければならない。それから、実存的な意味で必要なさまざまなものの中でも、少なくとも一つは、可能な限り大切にしなければならない――個々の人びとが自分らしくある権利だ。食糧不足が起こったら、ぼくたちは分かち合わなければならない。費用がかかりすぎる場合（たとえば過大な労働力を要するなど）には、〝必要なもの〟であっても提供できないという事態が発生することもあるだろう。それでも、〝必要なもの〟を手に入れる権利を守るのは、理想的な社会が果たさねばならない義務だ。これはぼくたちの社会を構成するすべての人だけでなく、世界中で暮らしている人類すべてにあてはまる。貧困に陥った人も、刑務所にいる人も、失業者も、不法滞在者も、どんな集団にも属していない人も、この中に含まれる――敵さえも。

これはなにも新しい考え方ではない。程度の差こそあれ、同じ感覚が世界中の国々の憲法に反映されている。ただし、上意下達式のがっちりと組み上がった官僚機構は、どうしても組織自体が円滑に機能し続けることのほうを優先してしまう。本来、市民に奉仕することが目的のはずなのに、それを後回しにしがちになるわけだ。でもぼくは、官僚機構にも同じことを期待したいと考えている。そこが、既存の考え方とはほんの少しだけ違う点だ。それだけではない。人間が持っている権利は、すべてに優先される。このことを、世界市民としてのぼくたち一人ひとりの頭の中に、明確に植え付けておきたいのだ。

世界のどこにいるだれであろうと関係ない。権利を奪われた人がいれば、その人はぼくの戦友だ。ベネズエラやデトロイト、ポルトープランス〔ハイチ共和国の首都〕、チャド〔アフリカ中央部の共和国〕、モスクワ、北京、ワシントンDCで苦しんでいる人がいたら、援助の手を差しのべるのがぼくの義務だ。ぼくの仲間である世界市民のだれかが、どこかの政府や企業、あるいは軍閥の首領やカリスマあふれる誇大妄想狂の手によって権利を奪われているのなら、ぼくには抗議の声をあげる義務がある（これは、ぼくたちが投票で選出した政治家たちの仕事である以前に、ぼくたちの義務なのだ）。

あなたの欲しいものと必要なものは、ぼくの欲しいものと必要なものだ。あなたの希望と願いは、ぼくの希望と願いに共鳴する。

あなたの限られた人生の時間は神聖なものであって、最高の宝物として扱われなければならない（資本主義のシステムも社会主義のシステムも、この宝物の所有権を主張することはできない）。この世に生まれ落ちた新生児が吸い込んだ最初の一息から、死を迎えた年金生活者の最期の一息にいたるまで、この人生こそが、ぼくたちの生まれてきた理由であり意味だ。どんな政府も、どんな軍隊も、どんな政治声明も、生きているというこの奇跡のような現象のかけがえなさを理解することはできない。コンゴでこれ以上の女性がレイプされないように手を尽くすのは、赤十字を身に付けた〝ほかのだれか〟とか、〝なにか別の組織〟の仕事ではない。なぜか？　それは、その女性はあなたの母親であり姉妹であり、子どもでであるからだ。こうした権利の蹂躙から人々を守るのは、ぼくたち自身の義務なのだ。

もちろん、権利を踏みにじられたすべての人々の盾となり、援助し、救済してまわることなどできるはずがない。だが、ぼくたち一人ひとりが毎日、兄弟や姉妹のために手を差しのべ声をあげていけば、不可能に感じられるものにも少しずつ近づいていくことができるはずだ。そうしてやがていつかは、人類史という大河の流れも大きく変わりはじめるだろう。

やる気まんまんのアリについて唄った、昔のポップスにこんな歌詞があった。「おや、あそこにもゴムの木があるぞ」〔フランク・シナトラの曲「望みを高く（ハイ・ホープス）」より。「気分が落ち込んだら／あきらめたりしないで／あのアリのことを思い出しなよ／おや、あそこにもゴムの木があるぞ」と続く。ここに登場する年老いたアリは、自分の力でゴムの木そのものを移動させられると一途に思い込んでいて、どんなことがあってもその前向きな姿勢は揺るがない。だから落ち込んだときには、このアリのことを思い出しなさいという内容〕

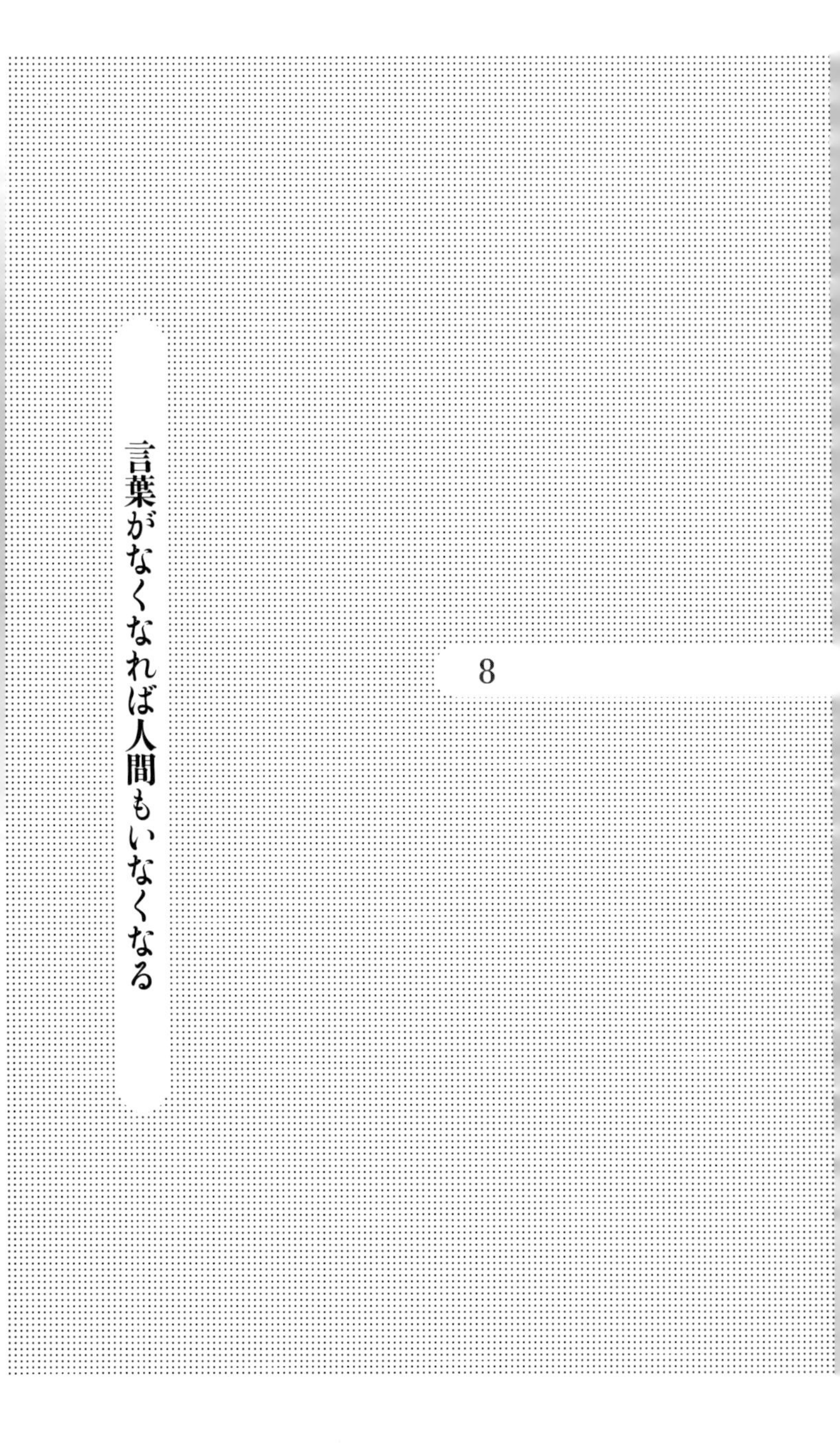

8

言葉がなくなれば人間もいなくなる

ぼくたち人間と社会的な動物のあいだには、決定的な違いがある。観念というもの、つまり考える力と想像する力を持っているかどうかという点だ。

ミツバチは、巣の存続と防衛に必要なものはなにか、という視点から世界を解読していく。花粉と蜜を求めて巣を飛び出ていく彼らは、その作業を進めながら、同時に危険に対しても注意を払い続ける。ミツバチにとっての世界とは、こうした本能によって定義づけられているのだ。強烈な赤色に惹きつけられて、決まったコースをはずれていくこともたまにはあるだろう。あるいは、哺乳類のいびきが別の巣から響いてくる羽音のように聞こえて、ついついそちらに向かって偵察に出かけることもあるはずだ。なにかを基準に予測を立てることもあるかもしれない――ぼくにはよくわからないけど、たとえば風とか太陽とか。でもミツバチは、大忙しの一日を過ごしたあとで、かならず自分が所属している集団のもとへと帰って行く。そして、外で集めた情報や花粉を持ち寄って、同胞たちと協議をする。このときにミツバチたちの感じる一体感は、ぼくたち人間にはなかなか経験できないものだ。

作家になろうとしていたぼくは、卓越した詩人、ウィリアム・マシューズ〔二十世紀合衆国の詩人、エッセイスト〕に多くを学んだ。文章をぎりぎりまで切り詰めて、伝えたいことの本質だけを残すこと。隠喩と韻の大切さ。言葉で表明されたことの中に、世界全体の情報を封じ込めるようにすること。彼からはすべてを教わった。ちゃんとした詩の書き方は身につかなかったが。詩に関してだけは、ぼくは正真正銘の落ちこぼれだった。でも成功に失敗はつきものだ。ぼくは気にしなかった。

ビル〔ウィリアムの愛称〕は、ハーレムにあるニューヨーク市立大学シティカレッジで、ワークショップ形式の講義をおこなっていた〔一九八〇年代半ばから後半頃〕。ぼくはその教室で、いちばん大切なことを学んだ。

ある眠気を誘う午後のことだった。一人の学生の提出した詩を、その時点までに、みんなで七、八回は書き直していた。端的に言って、ひどい詩だった。優美なところはどこにもなく、根拠のない自慢に満ちあふれ、ユーモアも欠けていた。外面上の装飾は施されていたものの、作者自身が、自分の扱っているテーマに自信を持てていなかった。ぼくたちは毎週、律儀にその作品について議論し合った。ワークショップとは、そういうものだったからだ。でもその日、一人の参加者がこう提案した。「この作品については、あきらめたほうがいいんじゃないかな？」

いつもなら、教室内で投げかけられる批判にビルが口を挟むことはない。ぼくたちの議論に耳を傾けたあと、最後に一言、二言話してから、次の詩に取りかかるのが常だったのだ。だがその日に限って彼はすくと立ち上がり、力強い声でこう言った。

「この教室の中ではどんなことを口にしてもいい。この作品は嫌いだと言ったり、弱点を指摘したり。自分でも意味がよくわからないことを口走るのだってかまわない。だが、沈黙を求めることだけは許されない」

ぼくは、この教えを心の中におさめた。今でも腹の中で、ミツバチの群がたてる羽音のように響き続けている。この言葉は、ぼくにとってマントラ〔真言と訳されるサンスクリット語。祈りや冥想などで唱えられる〕のようなものとなった。この世界のありように触れる必要があるときには、必ず頭の中で唱えることにしている。ぼくという存在など、人類の壮大な物語の中にまぎれ込んだ、ぶざまなくせに意固地な、一節の文章にすぎないのだ。

ぼくの提案する新しい世界――〈アントピア〉では、自由な言論、ありとあらゆる発想、理想、そして〃ひどい詩〃を尊重する姿勢が、ぜったいに欠かせない。ただやかましいだけの連中もいるだろうし、ぼくの心の平和をかき乱すような考え方をする人たちもいるだろう。でも、自由に言葉を発することができなければ、人間は存在しないも同然になる。言葉でなにかを表現しようとする、人間という主体そのものが殺されるからだ。（資本主義や社会主義のルールに支配されない）アートは、ぼくたちの持っているいちばん大切な財産の一つだ。心の暗がりにひそむ神聖なものを表にひっぱり出して見せようという、ぎこちなくぶざまな試み。でもそれこそが、この物質世界の暗闇で過ごす悲惨な出来事だらけの短い人生において、ぼくたちの魂を光り輝かせるものなのだ。一万人の画家たちが描いた一〇〇〇万枚の陳腐な絵の中から、ある日、文句のつけようもない大傑作が生まれる可能性すらある。真実を射貫くたった一つの隠喩にたどりつくためには、一〇億行もの文章を書き散らさなければならないかもしれない。

シロアリやミツバチの社会は、完璧な静物画のようなものだ――ニスを塗られ、サクラの木材の額縁に収まり、真っ白な壁に掛けられている。絵には傷一つなく、非の打ちどころがない。描かれた果物はそのまま食べられそうだし、ワインも飲めそうだ。どこかの奥方が庭で摘んできたばかりの花の香りも感じられる。

現代の人間社会というものは抽象画に近い。無名のギャラリーにひっそりと飾られていたり、だれかの所有する建物の壁面に描き殴られていたりするような作品だ。ぼくたち人間は不可能なものを追い求め、混沌に秩序を与えようとする。奏でる交響曲の数々は雑音にすぎず、訴える真実は互いに矛盾し合うものばかりだ。ぼくたちはめちゃくちゃな反逆者で、血に飢えた欲望に駆られて社会を破壊しまくり、お互いをなぎ倒し合っては勝どきをあげている。

ぼくたち人間は、成育過程においてすでに好戦的だし、敵対心でいっぱいだ。身体的・精神的な縄張りを確保しようと闘い続けている。狂ったように踊るし、自分で自分に勝手な治療を施すし、くよくよと考え込む。ぼくたちは自分の無意識の世界に影響されながら生きているのだが、もちろんその事実には気づいていない。身のまわりに広がる世界とのあいだに、自分では確固たる関係を築き上げているつもりでいる。ところが実のところほとんどすみずみにいたるまで、無意識や本能的な衝動、そして経済的な基盤や急激に変化していくテクノロジーによって自分が操られていることには気がついていないのだ。

人間は自分の快楽を優先する。いつでも、複雑怪奇で奔放な情熱に駆り立てられている。だがぼくたちの発想や知識、そして争いごとばかりの人間関係は、しばしば美しいものに結実する。なぜならそもそも人間関係というのは、争いごとの原因であると同時に、なにか輝かしいものを生み出す契機でもあるからだ。(ヘーゲル〔十九世紀ドイツの哲学者〕がそう考えたように)人間は歴史に導かれる。たとえほとんどの場合、その歴史が示している真実に、ぼくたち人間が気づかないままだったとしても。

歴史の中に見出される真実。そして過去と未来を結び合わせながら思考し、そこから得られるものを表現しようという試み。この本が、ほとんど宗教的な信仰心を持って追及しているのは、この二つのことだ。〔チャールズ・〕ダーウィン、〔カール・〕マルクス、トーマス・ジェファーソン〔合衆国第三代大統領。独立宣言の草案を執筆〕、そして過去（と現在）の悪徳資本家たちが気づいていたこと。それは、人間社会は常に変化し続けるという事実だった。ハチやオオカミは保守的だ。彼らの社会は微動だにしない。彼らなら、コミュニズムや〝自由市場〟をほんとうの意味で実現できるだろう。社会のかたちはほぼ完璧で素朴だし、彼らはそれ以外のありかたを知らないからだ。そういう社会の中でもしぼくたちが生活すれば、かならず心を押し潰され、抑鬱状態に叩き落とされ、人間性を否定し尽くされることになる。

ぼくたち人間は、本能だけに頼るわけにはいかない。なぜなら、人間とは考える生き物だからだ。しかもぼくたちの考えは絶えず変化しつづけていて、一つところに落ち着くということがない。

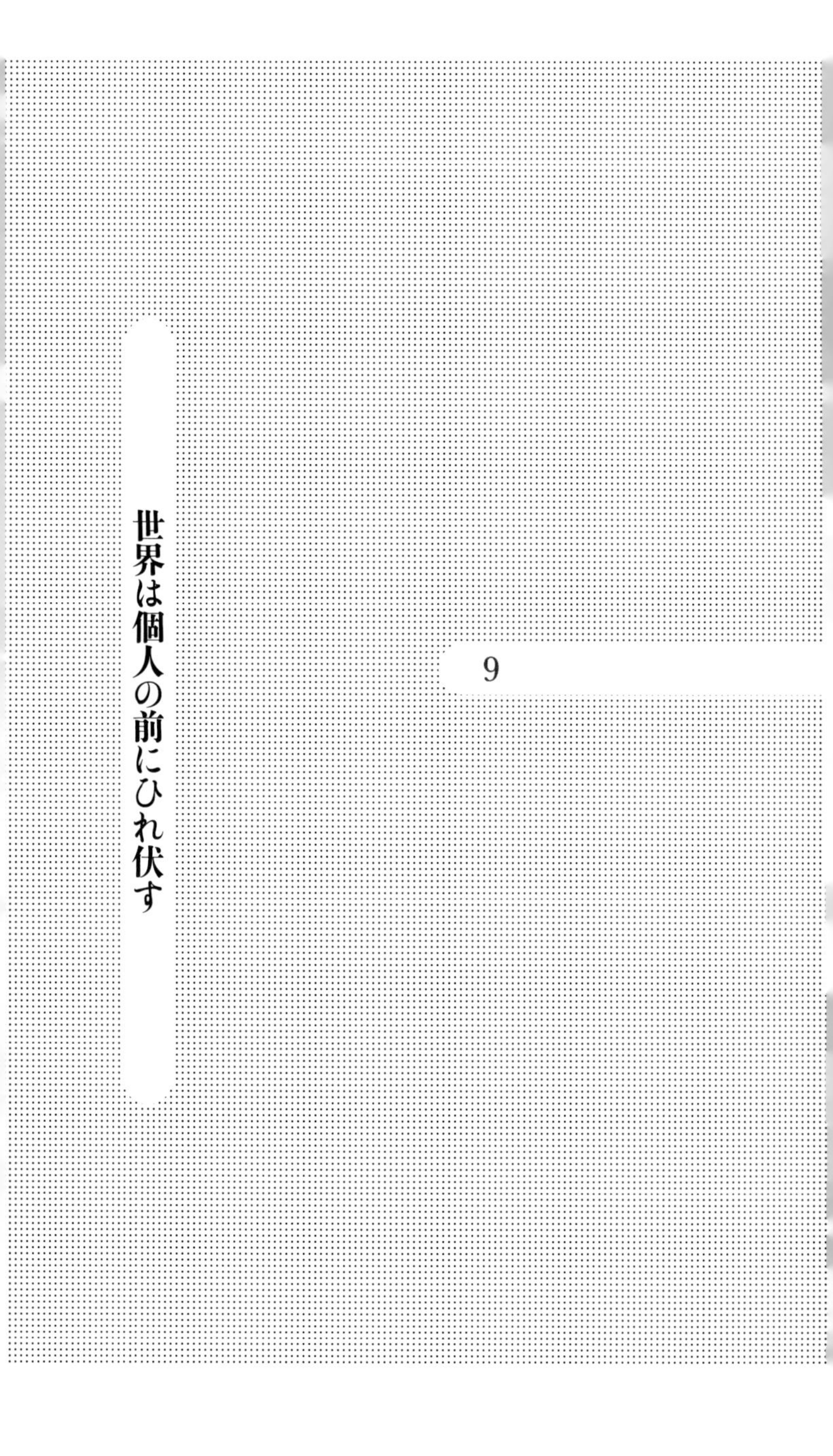

9

世界は個人の前にひれ伏す

ぼくたちには適応する力がある。でも、せわしなく落ち着きがない。

　これを事実と認めるなら、不動の社会システムが人間にふさわしくないことは明らかだ。そんなシステムを守ったり、その中で生きたりすることはできない。蒸気機関の技術や、大昔におこなわれていた労働集約型農業〔人間の労働力に負う割合が大きい農業の形態〕のために作られたルールの虜にはなれないのだ。人間がひとり残らず、計画通りに行動するわけがない。実際ぼくたちは、一人ひとりがそれぞれ少しずつ異なった世界観を持っていて、それに基づいて行動している。この前提から出発するほかはない。

　絶対的な社会システムは、人間の進歩とは正反対のものだ。だから、人間がしあわせを追及しようとすると、必然的にそれを妨害することになる。とにかくこの点を見誤ってはならないのだが、人間が生きているのはよろこびを追い求めるためなのだ。たとえば、赤ん坊の笑い声、お腹いっぱいの食べ物、至福のキス、膝を震わせるオーガズム、試合に勝つこと、奴隷を解放すること、顔をなでる風、ものごとの全体像を把握できた瞬間、原子を分裂させることに成功した友だちと上げる祝杯――すべては感覚的なものだ。

すみずみまでしっかりと構築されたあそびのない社会システムは、意見の相違を許さない。すくなくともこの事実だけは、前世紀の失敗を見れば異論の余地がないと思う。地球上には、人類すべてにゆきわたるだけの食料と住居がある。それでもなお、貧困も飢饉も疫病もなくならない。死体は積み上がっては焼かれ、積み上がっては埋められている。世界大戦は、いつでも地平線の先で幽霊のようにゆらめいている。刑務所は、犯罪があたりまえとされる環境の中で生きるほかなかった人々であふれかえっている。社会主義体制下のモスクワやワルシャワ、そしてワッツ〔一九六五年の暴動で知られるＬＡ南部の一地域。一九四〇年代までに黒人の低所得者層が住民の大部分を占めた〕のゲットーにいたるまで、路上生活者の姿は消えない。

エイズ研究より最新型スマートフォンの開発が優先され、アメリカに住む黒や茶色の肌を持つ貧しい人びとは、ひたすら「心配はいらない」と言い聞かされ続けている。「なにしろ今や、人種差別のない世界が到来したのだから」と。

オバマは社会主義者だと訴える人びとがいる。プーチンこそが民主主義の大黒柱なのだと。中国や北朝鮮は、共産主義国だ。だって、彼ら自身がそう言い張るのだから。極地の氷が溶け出していると主張する人もいる。でもそうじゃないと言う専門家もいる。こんなことになるのは、理にかなっていてしかも柔軟な政治システムがまだ存在していないからだ。利益よりもしあわせを、組織よりも自由を、政治や経済の求めるものよりも真実を優先するようなシステムが。

比喩的な表現ではない。ぼくは、文字どおりそう信じているのだ。利益よりもしあわせを優先しなければならない。もちろん、労働によって利益を手にするというのは人間の基本的な営みであること、そしておそらくある程度までは人間の権利でもある、ということを前提にしたうえでの話だ。組織よりも自由を優先しなければならないが、もちろんいっさいの組織がなければ自由を手にすることもできない。それからぼくたちは、人生を生きていく中で拾い集めた真実を、たとえそれがどんなに小さなものであっても大切にしなければならない。なぜならそういう真実とは、死すべき運命にあるぼくたちがほんの短い間だけ滞在している、この広大な平原を見わたしながら飛び回るワルキューレ〔北欧神話の女性軍団。戦場で生者と死者を決める〕のようなものだからだ。

ぼくたちには、必要なものと欲しいものがある。それから、〔可能な限りの〕表現の自由も欠かせない。この三つの権利を支えるためには、すべての人間が平等でなければならない。平等は自由に等しいのだ。くわえて、人間と財産との関係や、富の分配といったものについて、自分なりの理解も手に入れなければならない。

社会や経済のシステム、政府、国家、人民、部族、カルト、人種、ジェンダー、宗教、そのほか集団の論理に取り憑かれているものはすべて、二番手に回る。社会の基盤となるのは人間だ。人間の抱えている、〝生きたい〟〝子孫を増やしたい〟〝人類という種を次の世代につなぐまでの、このつかの間の時間をたのしみたい〟という欲望なのだ。だから、世界は一個人の前にひれ伏さなければならない。

この本は、難しい課題に挑もうという呼びかけだ。でもそこには、複雑な理屈があるわけではない。とてもシンプルな話なのだ。それについて理解し、みんなで議論する。そしてそこで見出されたものをおおぜいの人が受け入れ、最終的に実行にうつすだけでいい。

ぼくたちには好戦的な一面がある。だから、秩序と平等を守りながらも、そういう攻撃的な欲求を充たすような、〝パンと見世物〟〔ローマ時代の権力者たちが、市民に食糧と娯楽を無料提供することで政治の安定をはかったことから」のありかたを考えなければならない。

ただし、攻撃的なだけではない。ぼくたちは、愛と安定を求めてもいる。過酷な自然環境から保護されること、美しいものを守ること、そして人とは異なる意見を持つ自由が欲しいのだ。また、個々人の肉体的・知的労働のかかわる分野では、公平に扱ってもらいたいと考えてもいる。

まずは、議論の筋道を丁寧に描き出してみよう。そうすれば、折り合いがつきそうにもない意見の不一致についても、きっと解決への道のりが見つかるだろう。少なくとも、なにをしなければならないのか、ということに関しては、ほとんどの人が合意できるところまでたどり着けるとぼくは信じている。それを実行に移すための方法については、意見が大きく割れるかもしれないが。

たとえば、この先で待ち受けているかもしれない危険について話し合うのもいいだろう。〃かもしれない〃という表現を使ったのは、ある現象が存在することに気づいていない、もしくは存在すると認めたくない人たちに対しては、「〃可能性〃について議論しましょう」というかたちで誘いかけるほかないからだ。

夜中に子どもが泣きはじめたら、親は子ども部屋に行って、「どうしたの？」と尋ねるものだ。「ベッドの下におばけがいる」と言うのなら、「おばけなんて存在しないんだよ」と言い聞かせてから電気を消して立ち去ることもできる。でもたいていの親たちは、そういうやりかたはよくないと教えてくれるだろう。親はベッドの下を見るべきなのだ。実際にきちんとなにもいないことを確認する。それから子どもを呼びよせて、今度はいっしょに、なにもいないベッドの下を見る。そのとき、ほんとうにおばけがいなければ、子どもの恐怖はやわらぐ。そして、自分の訴えに耳を貸してくれる大人がいることにも安心する。そのあとでようやく、常夜灯の助けも借りながら、子どもは眠りに戻ることができるかもしれない。

ぼくが提案したいのも、そういう解決方法だ。でも、かならずしも同じ展開になるとはかぎらない。ベッドの下を見てみると、尻尾が長くて体重が三ポンド〔約一・四キログラム〕もあるようなネズミがいて、黄色い牙をむき出しにしながら後ろ脚で立ちあがっているかもしれない。そこで思い出すのだ。ネズミというのは、頭部と同じ大きさの穴さえあれば、魔法使いのようにどこにでも入って来られるという事実を。こうして、おばけがいないことを確認する子どもとは違って、親のほうは、バケモノがどこにひそんでいるかわからないという事実を学ぶことになる。

ぼくたちは、管理のゆきとどいた安全な世界に生きていると思い込んでいる。だけどほんとうのバケモノはすぐそばにひそんでいる。そいつは、あなたにとっては民主主義とか自分の命とかよりも大切な人の命を、いますぐにでも奪えるのだ。

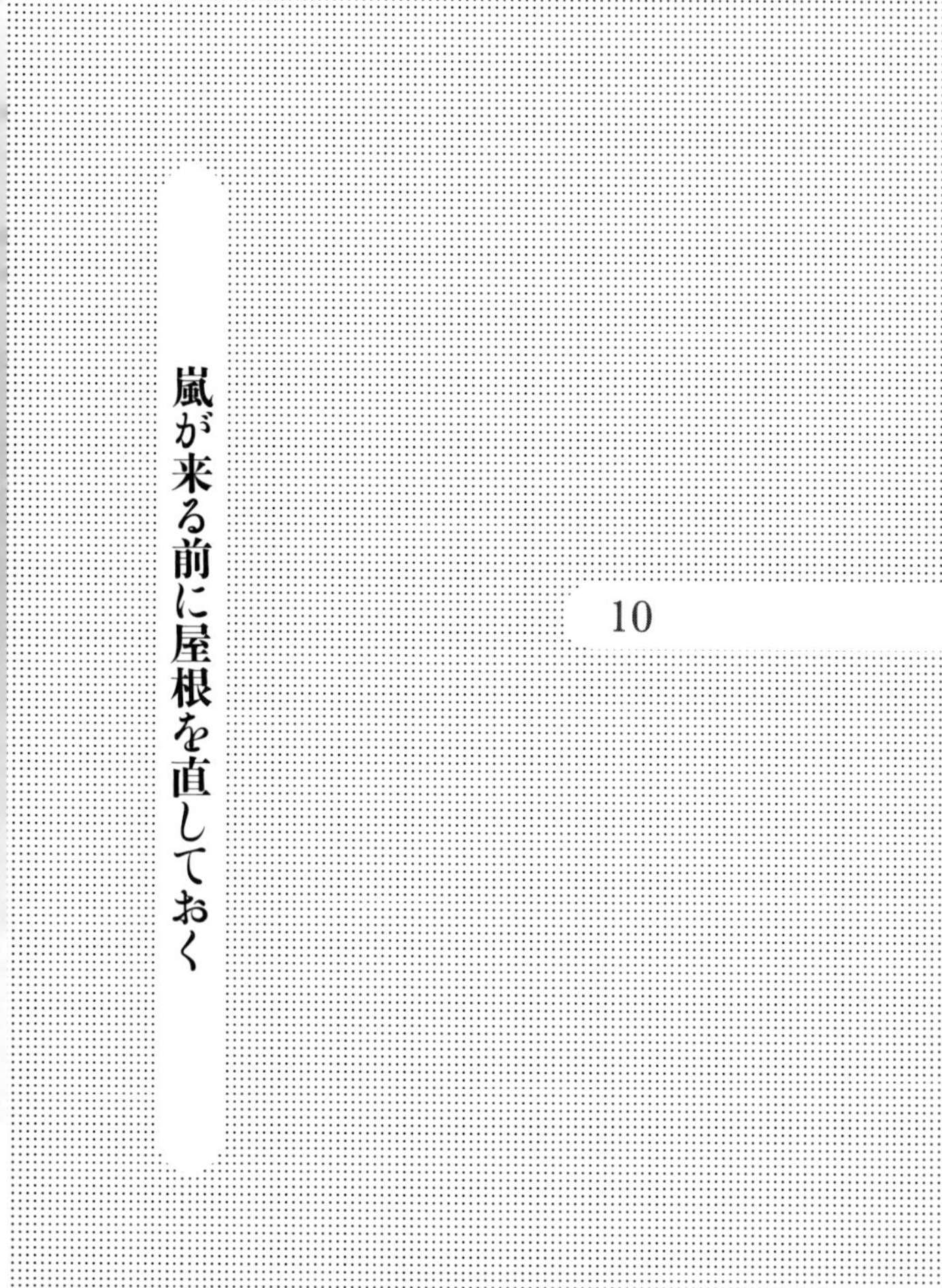

10

嵐が来る前に屋根を直しておく

新しい世紀に入ってからも、目の前には大きな問題が山積みだ。テロリズムから津波にいたるまで、ぼくたちは個人レベルでも世界レベルでも命の危険に取り囲まれている。だれもがわかっていることだ。

こういう問題は、戦場で血まみれになった負傷兵に似ている。とにかく戦闘を止めないことには、まともな手当てを施すこともできない。そして武器を地面に置くためには、戦闘を停止させるための条件を決めなければならない。休戦協定ということだ。つまり問題に対処するためには、なによりもまず頭を使って考える必要がある。

平和を手に入れ、ぼくたちの心や身体、そしてこの地球にぽっかりと口を開けた深い傷の手当てをするために、自分はなにを手放すべきなのだろうか。まずはその点について、すべての陣営がはっきりさせなければならない。

科学の発展は、ぼくたちの心の変化をはるかに凌駕している。そのことが、人間の中にとてつもない狂熱を解き放ち、人口爆発を引き起こし、環境を汚染し、世界中の人々を分断し、孤立させてきた。ここからは、このすさまじい狂熱をやわらげるために使えるかもしれない思考の道具を、いくつか提案してきたい。未来の政治システムを具体的に予測したり設計したりすることはできないが、いちばん有効に機能しそうなツールについて、それをどう使ったらいいのかという例も含めて語ることはできると思う。

問題を目の前にしたときのぼくは、すぐに考え込んでしまう。そこにはどういう原因があるのだろう。どんな要素が作用を及ぼし合って、どういう結果をもたらしているのだろう。そういうことについて検討をはじめる癖がある。ぼくはじっくりと考えるのが好きなのだ。

でも、今は行動のときだ。すぐにでも、人間を否定するこのシステムへの抵抗をはじめなければならない。自然環境から見ても、人間同士の摩擦という面から見ても、取り返しのつかなくなる地点は、すぐそこまで迫っているからだ。

世界中に蔓延する苦しみは、ニューヨークのブロンクス区で最近〔二〇一四年に〕発生した、はしかの流行に似ている。当初は、マンハッタン北部とブロンクスの住民だけに対して、予防接種の呼びかけがおこなわれた。だがたちまちのうちに、感染はイースト・ヴィレッジにまで到達した。すべては、一回の咳やくしゃみのせいだ。同じように、ミサイル発射ボタンのかたわらに、怒り狂った兵士がたった一人座っているだけで、すべてが終わる。そんなことは起こらないかもしれない。でもこの世界には、不測の事態を自動的に止めてくれるような安全装置は備わっていない。

ぼくたちに必要なのは、先手を打つことだ。嵐が来る前に、屋根を直しておかねばならない。

11

だれがなにを所有しているのか？

人間同士の関係にかかわる、いちばん大切な問題について考えていこう。この問題の中心にあるのが、人と財産との関係だ。そしてこの関係には、三つの側面がある。すなわち、金（カネ）という側面、人が自分らしくあるための実存的な側面、そして政治的な側面だ。

この問題は、次の疑問文に凝縮できる。

だれがなにを所有しているのか？

だがこの問題に挑む前に、一つだけはっきりさせておこう。

現代社会では、財産の価値は労働によって決められる。実際、労働とは蛇の頭のようなもので、自分の尻尾である財産に咬みついている。この二つの要素は、人間の営む経済活動において完全に表裏一体の関係にあって、けっして切り離すことができない。労働というものがなければ、財産——

知的なものか物質的なものかを問わず――は生の原材料でしかない。一方で財産というものがなければ、労働が経済的な意味を持つこともない。

純粋な資本主義においては、だれでもあらゆる財産を手に入れることができるとされる。ぼくたちの足元には労働という名の地面があって、頭上に広がる空にあるものにはすべて値札がついている――〟自由市場〟という謎めいた仕組みによって決められた値札だ。そして資本主義システムの中で財産を手に入れるには、購入するしか方法はない。また、純粋な資本主義システムにおいては、このやりとりに対する外部からの干渉はないものと想定される。外部からの干渉とは、種々の税金や関税、通行料、規制といったものだ。

アメリカの実業家たちは、あらゆる種類の課税は自由市場を阻害するものであって、そうした干渉は国家の経済的健全さを損なうと信じている。

要するに、利益を得られないかぎり、人間は労働しない、得られる利益が大きくなればなるほど人間は働き、健全な経済への投資は増加し、さらに再投資がおこなわれる、という考え方だ。

アメリカ型の資本主義の抱える問題は、ウロボロス——自分自身を呑み込む蛇——の腹の中で、ごろごろ鳴っている。起点にあるのは、「だれでもすべてを手に入れることができる」という信念だ。そしてこの「すべて」の中には、法律家や法律そのものも含まれている。ウロボロスが、立法についての議論を左右しはじめるようになると、たちまち競争や自由なビジネスに制限がかかりはじめる。

ぼくがそのことに気づいたのは、ある日の早朝、ロサンゼルスにある二十四時間営業のドラッグストアの前でのことだった。飲み物を買おうとしていたぼくは、三人の若者たちに話しかけられた。彼らは、いろんな種類のスナックが詰まった箱を抱えていた。ドラッグストアの半値で売ろうとしていたのだ。ぼくは最初、その自称スナック売りたちにうんざりした。

でもすぐに、これこそほんとうの資本主義の姿なのだと気づいた。三人の若者たちは、まず顧客になり得る人たちの集まる場所を見つけた。そして仲買人を通さないことで、巨大なドラッグストア・チェーンのつけている価格よりも売値を下げられるように工夫したのだ。ぼくは同時に、この若きセールスマンたちの態度を見て気づいた。自分たちの商行為が、市の条例によって違法とされているかもしれないことを、三人は重々承知していた。ということはつまり、大企業の側は、ほんとうの競争を排除するための手をあらかじめ打っていたということになる。かつての自分自身——この三人のように、だれにも頼ることなく商いをする商業資本家たち——を、非合法化することで。

これでは、資本主義が自ら資本主義を否定しているのと同じことだ。事例はいくらでもある。たとえば、街角でタバコのバラ売りをしていたために窒息死させられた、エリック・ガーナー〔二〇一四年七月にNYで起きた事件。

ガーナーはアフリカ系アメリカ人〕。犯罪者扱いされないためには、最低賃金以下での労働を余儀なくされる不法滞在者たち。連邦法の規制によって廃業に追い込まれる小規模農家たち。

大企業（巨大チェーン、石油会社、〝刑務所産業〟〔受刑者を安価な労働力とするビジネス〕など）は、野放しにしておけば巨大な力を手に入れ、小さな競合他社を合法的に踏み潰していく。すなわち、経済におけるファシズムが生まれることになる。このファシズムの力は、やがて社会全体に及ぶ。なぜなら、人びとの賃金と生活費——すなわち生きるための費用——の両方を、意のままに操れるからだ。現代の資本家は、資本主義の最大の敵であるはずの法律を我がものにしてしまった。そうすることで、ありとあらゆる財産を手中に収めたのである。これはつまり、人々がほんとうの意味で所有している唯一の財産である自分自身の労働力もまた、盗まれてしまったということを意味する。

だれがなにを所有しているのか？

資本家が所有している。それが答えだ。

資本主義の定義は、だいたいにおいて一つにまとめられる。他方、社会主義の幅は広く、少なくとも一ダースほどのかたちが挙げられる。キリスト教社会主義から、国家社会主義やアナルコ・サンディカリズムにいたるまでがあり、それぞれ民主主義、個人の自由、国有企業、プロレタリア独裁などについてさまざまな考え方を持つ。漸進主義、修正主義、そして革命的社会主義による運動の数々。アフリカ、南アメリカ、そしてヨーロッパの多くの国々が、市場経済の中に社会主義の考え方を取り込もうと試みてきた——資本主義が人々の生活に及ぼす強烈な影響を和らげるために、課税や所得制限、公的監視を導入し、望ましくない制度を廃止してきた。

社会主義には、財産をどのように管理するのかという点について、独自の考え方がある。それによれば、すべては国民によって所有される。あるいはすくなくとも、国民のニーズに基づいて管理される。

社会主義という制度が理想的なかたちで実現した場合、国家全体は蟻塚に似たものとなる。雨風をしのぐ巨大な塚だ。それは天高く空を目指すと同時に、地中深くへ掘り進んでいく。その中では、財産を私有することは犯罪となる。あるいは少なくとも、腐敗とみなされる。生産活動は社会全体でおこなうものであり、人々の要求はすべて、中央にあるシステムによって充たされる。そのとき、要求の内容が個々人のあいだで食い違うことはないし、食い違うことは許されない。

過去二五〇年ほどの歴史において、私有財産制と公共の利益との間の完璧なバランスを達成した地域社会が、たとえ短い期間だったとしても、個別に存在していたことは間違いないと思う。ならば、ここでのぼくたちの仕事は、そういう社会のありかたをわかりやすく明確に描き出し、外の世界へと拡げていくことだ。

外の世界に拡げるというのが、ここでは特に重要なポイントだ。なぜならぼくが見るところ、社会主義はヘーゲルの考えだしたナショナリズムへと傾きつつ、同時にその内側では資本主義が、ゆがめたかたちでカントの普遍主義を醸し出しているからだ。

ぼくの目には、こんな情景が浮かぶ。広い原っぱに、社会主義の蟻塚が何十個もちらばっている。すべて円錐形で、高さは三〇フィート〔約九メートル〕、基部の直径は二〇フィート〔約六メートル〕だ。それぞれの内部には、何百万もの命が収まっている。この原っぱをぶらついているのが、巨大なメガテリウム〔約五〇〇〇〜一万年前頃に南米大陸に棲息したナマケモノの近縁族〕のかたちをした資本主義だ。おそろしい鉤爪を使って、蟻塚を一つひとつ破壊して回っている。

このメガテリウムも問題だが、純粋な社会主義における最大の欠陥は、人間性そのものだ。前述のとおり、ぼくたちはシロアリでもミツバチでもない。人間の本能は、「社会全体のためにただ働きをしろ」というふうには命じない。母親が、わが子のために命を差し出すことはあるだろう。だが相手が見知らぬ人間なら、そうはいかない。もし、自分を必要としているわが子が家で待っているという状況なら、なおさら他人のために命を賭けることはできない。兵士が命を賭けて戦い続けるのは、その戦いの大義に疑問を感じはじめるまでのあいだだけだ。

だれか別の人が自分より多くのものを手にしていたら、社会主義という仕組みへの信頼はなくなる。そしてもし、「働けば働くほどより多くのものを手に入れられる場所が別のところにはあるぞ」と教えられれば、そちらに移住したいと考えるだろう。移住できなければ、自分のところの政府を恨みはじめる。怒りの矛先は、仲間の市民や法律や、自分自身に向かうこともあるだろう。

だれがなにを所有しているのか？

だれもなにも所有していない。

こうしてぼくたちは、ユークリッド幾何学における直線の両端に立つことになる。一方の端には、社会主義のプロレタリアがいる。個人としてはなにも所有していないが、なにかを所有する必要もない。なぜなら、社会と国民全員が全員のために働き、必要なものを提供するからだ。もう一方の端には、資本主義社会の市民がいる。彼女／彼はなにも所有していない。金持ち一族が富のほとんどを手中にしている、もしくは管理しているからだ。

プロレタリアの社会は、一人ひとりの暮らしを支える。

金持ち一族の社会は、「富はいくらでも手に入るぞ、これこそが自由なのだ」と熱っぽく訴えかける。

一方の側では、ぼくたちは全体の一部。

反対側では、すべてを自分のものにできる可能性がある。

白状すると、個人的には、社会主義の持つすっきりきれいな仕組みに心を惹かれてしまう。必要なものは与えられるし、自分の能力に応じて働けば良いのだから。とはいえ……具体的な労働の中身はだれが決めるのだろう？　ある朝目覚めて、ぼくを受け持っている人民委員に、「ちょっと頭の中を整理したいので一日休みます」と電話したらどうなるのだろう。ぼくにとっては一日休む必要があるのだけど、そんな必要のない仲間たちから見て、それが充分な理由となるのだろうか？　もしぼくがゲイであることに悩んでいたら？　照りつける太陽の下での農作業よりも、物理学に秀でている場合には？　自分の心の中にある声を表現したいのに、それが国家全体にとって良くないという理由で、口にするのが違法とされるような内容だったら？　本来、労働者の心の声というのは、ぼく一人のものではなくて労働者全員のものなわけで。

ぼくは、社会主義の考え方に惹かれる。でも同時に、金持ちになろうとすることにも抗いがたい魅力を感じる。仮にぼくが薄汚い金持ちとして名をなしていて、街を見下ろすペントハウスを所有できるとしたら、それでもエレベーターなしの五階にある六三二平方フィート〔約五九平米〕の狭い部屋（仮にこの社会では、市民全員にこの広さの部屋が割り当てられるとして）に住みたいと思うだろうか？　そんな人間はいないはずだ。なにも暴君になりたいわけではない。手にした巨大な富の一部は慈善事業に回そう。貧しい子どもを何人か養子に迎えて、その子たちが道を踏み外さないように乳母も雇おう。友だち（大統領）に話して、働く人たちに優しくしてくれと頼むことだってできるはずだ。

でも、この資本主義社会の中で、ぼくが成功できなかったらどうなるんだろう？　二十五歳で統合失調症を患ったり、失読症のせいで文字が踊って見えて、きちんと求職票を埋められなかったりしたら？　投資顧問に金をぜんぶ盗まれてすっからかんになったり、為替市場が大暴落したりしたら？　タバコとかアルコール、ファーストフードやセックスの誘惑に引き込まれて依存症になったり、人生を台なしにする病気に罹ったりしたらどうするんだろう？　ぼくの肌の色やジェンダー、宗教や年齢、それから家系が、たまたま競争相手よりも〝良くない〟と見なされる側のものだったら？　景気変動のせいで、たまたまぼくの収入が極端に下がってマイナスになってしまったら？

12

人間にとってどうしても必要な八つのもの

ここで、この本は折り返し地点にたどり着く。

これまでは、ぼくたちが直面している問題を数え上げながら、人間がそれらとどのように向きあってきたのかという話をしてきた。完璧なシステムは完璧な生き物のためのものだが、人間は完璧な存在にはほど遠い。このことはもうはっきりしたと思う。だから、社会主義か資本主義かという議論からは離れて、その中間地帯のどこかに、人々に調和をもたらす人間的な政治システムを見つけだそう。ぼくたちが、ぼくたちのままでいることを許してくれるようなシステムを。そのためには、どちらの考え方においても大切にされている、共通の価値を持つ要素だけを抽出していく必要がある。

個人的な野心と安定した人生の両方を追い求めて、身動きがとれなくなっている――これがぼくたちの現状だ。片方には、黙って待っていればオートミールの皿が配られるような、消毒薬の匂いが漂う廊下。もう片方には、次にサイコロを振るときは良い目がでますように、と祈り続ける一生。

どちらの社会・経済システムも、自分の尻尾を呑み込む蛇の法則で動いている。労働することで原材料を加工して商品を作るか、労働そのものを商品として提供する。この点では変わらない。

工場の組み立てラインで働く女性が、フォード社の乗用車ピントに左前輪を取り付けているとする。このとき彼女は、自分自身の労働力を用いて原材料を加工し、商品——自動車——を作っている。

あるいは、高級レストランで働くウェイターが夕食を運んでいるとする。この場合は夕食を運ぶという労働そのものが商品ということになる。このとき彼が提供するサービスは、完成した自動車が提供するものと同じだ。

労働者は、自分自身の肉体的・知的能力の所有者であり、彼／彼女は好きな仕事に就いてそれを活用することができる。このことに異論はないだろう。ならば、労働で得た金もまたその労働者のものにならなければおかしい。労働によって稼いだ賃金はその人のものであり、その人は好きに使える。このシンプルな考え方が、資本主義の基礎にある。社会主義においても同様だ。どちらのシステムの中でも、労働は価値を生み出す。人間の労働は、どちらのシステムにおいても商品であり、数量化可能とみなされているのだ。

たとえば一六トンの石炭を運ぶ抗夫は、自分の労働力を用いて、石炭を運ぶという仕事を担っている。そしてその仕事には、値がつけられている。彼の労働の価値を表すものだ。

資本主義のシステムにおいては、この抗夫が働かなかったり、働けなかったりした場合には、賃金を受け取ることができない。経済活動の選択肢としては、働いて賃金を受け取るか、働かないで賃金を受け取らないかのどちらかしかないからだ。

一方、社会主義のシステムでは、働かないことは犯罪行為と見なされかねない。なぜなら、すべての労働者の労働力を所有しているのは、国家だからだ。

こうして見比べてみると労働者の身としては、(ほかの条件がすべて同じだとすると)働かないで賃金を受け取れないという事態は避けたいと感じるだろう。だが、自分の労働力は自分のものだ。労働者と労働力の結びつきは、少なくとも市民と社会との結びつきと同程度には強固なものであるべきだとぼくは考えている。この前提に立ってひとまず仮に、次のように書きつけておこう。

働く人は、たしかに自分自身の労働(力)を所有している。そして、それをどう使うかは本人次第なのだ。

ということはつまり、資本主義の一点先取ということになる。なぜなら資本主義においては、ぼくたち個人個人はみな自分自身の労働(力)を所有していて、それを好きなように使えるとされているからだ。そしてその労働で稼いだ金についても、好きなように使う権利を持っている。金の使い方の中には、投資や起業、そして金融*が含まれる。今のところ、ここまでの話に異論はないだろう。

＊金融は事実上、資本主義の砦と言える。抽象的な価値（貨幣）を利用することに対して、価値を付加するからだ。価値を表すものとして貨幣が導入されると、利息（貨幣を利用するための費用）という考え方が必要になる。それゆえ、この利息というかたちの費用こそが、資本主義の根幹をなす。

資本主義システムの中で金を稼ぐには、三つの方法がある。一つは自ら起業し、原材料から他人の労働力にいたるまでを所有すること。もう一つは職を探し、資本家に雇用されること。三つ目の労働のかたちは、事業に金を投資し、そこからの収益で生きることだ。

資本家のために働く場合、賃金の額を考えなければならない。たとえば木曜日の公開市場において、石炭一六トンの価格が九六〇ドルだったとする。鉱業会社が石炭を採掘して加工プラントまで運ぶために一七〇ドル、そこからさらに、市場で売り渡せるかたちにするために二〇〇ドルかかる。石炭一六トンの価値は、市場価格から経費を引いた五九〇ドルということになる。さて、ここで抗夫たちの日給はいくらなのか、という問題を考えなければならない。これこそ、資本主義における最大の難問だ。賃金を下げれば下げるほど、競合他社の石炭に対する自社の競争力が増すからだ。つまり石炭一六トンの価格は、抗夫たちの重労働に対してどれだけの金が支払われるのか、ということに応じて変動する。

金曜日の市場では、石炭一六トンの価格が七九〇ドルに下がったとする。原材料の価格は大きく変動しないが、抗夫、運転手、加工プラントの従業員、そのほか中間地点で働くすべての人たちの労働の価値は、一定ではない。ということは、石炭の市場価格が下がった分を吸収できる項目としては、労働者の給料か利益しかない。資本主義の理屈で言えば、企業の側が労働者の給料を下げるほうが正しい。なぜなら企業は、労働者ではなく投資家の得になることを考えなければならないからだ。企業がすべきことは、利益を上げ、高い競争力を維持すること――ただそれだけだ。

だから、そこに労働組合という考え方を導入し、あいだを取り持たなければならない。個々人の労働者は、一人では企業に立ち向かえないからだ。企業の側は、「この賃金がいやなら、別の仕事を見つけたらいい」と彼らに言うだろう。また、このときほかのすべての鉱業会社も、競争力を保つために同時に賃金を下げたとしたら、労働者は今の賃金で満足するほかなくなる。そしてもし中国の労働力が安いということになれば、企業は中国に目を向け、投資先を変えるだろう。そうなると、中国の労働者の潜在的な価値が上がる。

純粋な資本主義においては、たしかに労働者は自分の労働力を好きなところに売ることができる（つまり、好きなところで働ける）。だがそれは〝可能性〟に過ぎず、実際には、労働者が自分の労働力をどこに売るのかという点については、企業の側が決定権を握っている（つまり、好きなところでは働けない）。さらには、その労働力につける価格についても、決定権は企業の手中にあるのだ（つまり、自分の労働力を相手の言い値で売らなければならない）。

この状況は、国民の大部分にとって許しがたいものだ。だから、ぼくたちの天然資源――そこには労働力も含まれる――を守るためには、一定の規制を導入しなければならない。

理想的な社会を考えれば、ぼくたちは全世界の労働者の持っている価値を守るべきだろう。そもそも、ぼくたちアメリカの労働者は、ホンジュラスで葉巻を巻く仕事に就いている人たちや、中国の工場で働いている人たちと無縁ではない。なぜなら、資本家が一つの国で労働の価値を決めると、その影響は海外にまで及ぶからだ。それに今やあらゆる企業が、株式や商品を売買する国際的な市場を通してつながっている。そもそも、世界中にいるすべての資本家たちは同じ言語を使っているじゃないか——つまり〝金(カネ)〟——もう少し正確に言えば〝利益〟だ。そして、世界中にある無尽蔵のようにも見える富は、銀行や企業やその他の法人と、全人類の〇・〇一パーセントでしかないエリートの手中にある。富の価値は市場で決まるとは言われているけれど、その市場自体が、意識的にかどうかはともかくとして、操作されている。操作しているのは、ぼくたちが生活しているこの大地を所有していると主張する連中だ。結局のところぼくたちは全員、ぼくたち一人ひとりのしあわせなんか入り込む隙間もないシステムのために働いている。

少なくともぼくは、そう考えている。

だが、ぼく一人がそう叫んだところで何の意味もない。

ぼくは、生存ぎりぎりの賃金しか受け取れないナイジェリア人労働者の運命を変えたい。でも不可能だ。なぜなら、ナイジェリア人労働者の労働環境に影響を及ぼすために必要な手立ては社会主義的なものにならざるを得ず、ということは、ぼくたちのあいだを隔てる国境線によって、その効果は途切れてしまうからだ。もっと重要なのは、ぼくには、ナイジェリアやホンジュラス、中国といった国々で生じている経済的な抑圧について充分な知識がないということだ。おそらくそういう国々で必要なのは、現代的な資本主義経済をきっちり根付かせることだったりするのかもしれない。ぼくにはよくわかっていない。

もしかしたら、アメリカの経済が良くなれば、ほかの国へも良い影響が伝播していくかも知れない。これはあり得そうな話だ。だからここではまず、アメリカの労働者たちを取り巻く、経済的な抑圧状況を改善するための方法を考えてみよう。とはいえ、世界中の労働者たちが〝現代社会に生きることのしあわせ〟（その内実は時としてうさんくさいものだが）を享受できるようにならなければ、問題を解決したとは言えない。このことだけは、ここではっきりさせておきたい。

さて、ここからが提案の中身だ。

資本主義と社会主義との対立はここで終わらせよう。ぼくたちの生活している社会の中には、個人や個人の集まりである団体や組織が自由に所有すべき、もしくは民営化されるべき分野がある。他方で、〝より多くの人の利益〟のために国家が管理すべきものもある。ぼくたち市民は、この事実をきちんと理解しておくべきだ。自転車や自動車、ジェット機や宇宙船の所有は前者のカテゴリーに入るし、殺人の禁止は後者に入る。

ぼくたちは社会主義的な動物ではない。社会的な本能はいくつか備わっている。だが、自分ではどうすることもできない無意識に突き動かされているし、個人的な野望や競争心も持っている。人間性の中にあるこうした基本的な性質は、出口を求めている――そう、はけ口が必要なのだ。そして、個々人が持っている人間性――つまり肉体的、感情的、知性的な自我――は、その人間の肉体の中に収まっている。労働し、愛し、格闘し、やがて死を迎えるのは、ぼくたち一人ひとりの身体なのだ。そういう意味で、ぼくたち一人ひとりの身体は、ぼくたち一人ひとりの私的な所有物にほかならない。そして身体の生み出す労働も、その人に属する。とはいえ、ある人の身体や心の動きが、ほかの人の主権に干渉する場合には、それを制御する法律が必要になる。

現代社会の住民たちを守る政治的な仕組みは、資本に左右されてはならない。プラトン〔古代ギリシャの哲学者〕が『国家』の中で提示した理想〔国家には〝知恵〟〝勇気〟〝節制〟〝正義〟という四つの要素が備わっていなければならないとした〕のように、ぼくたちの権利を代表する人々は、富や脅しに動かされてはならないのだ。人々の生活を守り、発展させるための法律が、資本家たちをむやみに規制するようなことは避ける必要がある。だが、法律が資本家によって左右されることもまた、決してあってはならないことだ。

なにも過激なことを主張しているわけではない。ぼくたちの住んでいる現代社会には、すでに資本主義的な理想と社会主義的な理想が共存している領域もある。そのわかりやすい例としては、警察だ。警察は、資本家の財産を守ると同時に、一般市民の心と身体を守る盾としての機能も担っている。また、病院での医療費はバカ高いが、それでも特定の状況下では、持たざる人々に救いの手をさしのべなければならないとされている。公道は商業活動のために補修されるが、だれでも走ることができる。今日のアメリカでは、こうした仕組みがすでに政治的・経済的に受け入れられている。だが、ぼくたちが心の安定を保ちつつ、地球とそこに住む人々、そして人類全体の持っている可能性を守るためには、そのはるか先にまで進んでいかなければならない。

人間の身体と心が、この文化とこの世界の中で生きていくためには、なにが必要だろう？　まずはじめに、その内容を定義していこう。人間にとってどうしても必要なもの――つまり、国家が必ず提供しなければならないもの――を明確にするのだ。

さて、二十一世紀を生きる人間は、生きるためになにを必要としているのだろう？

清潔な水。飲んだり洗ったりするために十分な量。

健康的な食事。体力と活力のある生活を送るために十分な量。

安全な寝床。ゆっくりと眠れて、生きるために必要なさまざまなものを蓄えつつ、リラックスしながらじっくりと自分の人生について考えられるような場所。

教育。現在と未来の職を確保するために必要な知識を蓄えるための、六年制の大学か専門学校。

健康保険。

情報への自由なアクセス。

国家の所有する天然資源の恩恵を受けられること。資本家は、この天然資源を所有してはならない。そこには海岸、風、川、公有地の鉱物資源が含まれる。また、ロボットのような人間以外の生産手段を用いることで得られた利益への課税も同様だ（これについては次の章でもう少し詳しく触れる）。

個人の自由を制限する法律の撤廃。とりわけ、巨大資本家の資産を守ることを主な目的として、あるいはただそのためだけに作られたような法律。

13

人間から労働力を奪う機械への課税

前章に挙げた八つの〝必要なもの〟のリストは、拡大していくことになるだろう。新しいカテゴリーが付け加えられなかったとしても、それぞれの中には無数の項目が含まれている。数千にはなるだろう。公有財産となるべき天然資源を一つひとつ数え上げるだけでも、長く熾烈な論争がはじまるはずだ。

八つの中でもっとも議論を呼ぶのは、ロボットによる労働への課税だろう。資本家の利益を代表する者たちは、激しい抗議の声を上げるにちがいない。「機械は資産であって、人間ではない。したがって、機械が生み出した所得に対して課税することなどできない。それでは、大工のハンマーに課税するのと同じことではないか」と。

たしかに、大工の使う基本的な道具に課税するのは誤っている。しかし、それ以外の特定の財産についてはまた別の話だ。一般的に財産というものは、その価値や規模、使用方法、あるいはそれが生み出す収益に応じて課税される。そして社会は、住民からの税収を必要としている。人間の労働力に替わるものとして導入されるのであれば、ロボットも税金を納めなければならない。なぜなら、ロボットの導入によって失業状態に置かれた労働者がいるわけで、彼らが納めていた税金の埋め合わせをする必要があるからだ。

4章に登場した段ボール箱を組み立てる機械は、とてもわかりやすい例だ。この機械――仮にCBF‐28と呼ぼう――が、たとえば十八人の工場労働者の職を奪い、命ある人間二十五人分の作業を一台でこなすとしよう。企業の側は、これによって浮いた費用の一部を活かし、顧客のために段ボール箱の価格をいくらかは下げたのだろう。だがそれでもなお企業側が、少なくとも何人かの労働者を恒久的な失業、もしくは不完全雇用へと追いやった機械によって利益を上げていることに変わりはない。それはとりもなおさず、その労働者たちが所有している唯一の財産である、労働力を奪い去ったことを意味する。次の職を見つけるまでのあいだ、一時的な失業もしくは不完全雇用の状態を過ごすことになる労働者たちはおおぜいいるのだ。

だが、CBF－28導入の影響はそこで終わらない。労働者の伴侶や子どもたちもまた、短期的なもしくは長期的な収入の消失によって苦しめられることになる。それから、地元自治体や州、そして国の税収も下がるし、近所の商店の売上も下がる。

CBF－28が、週に七五〇〇ドルの利益を生み出すとしよう。であれば、この機械の所有者である企業〈コンテイナー・コーナー〉は、この利益に対する所得税を払わなければならない。ジョン・ヘンリーという人間が、そのすばらしい体力を駆使して日々腕を磨き上げながら、自分の家族や社会のために労働していた頃に所得税を納めていたのと同じことだ。この税金は、人々が必要としているもののために使われる。これは、資本家に対して要求できる当然の権利だ。いずれにせよ、人間の労働力がすこしずつ機械に取って代わられていくとするならば、生産された商品を買うための収入を、工場から追い出された人間たちはどこから得ればいいと言うのだろうか？

機械の所有権は、資本家が持ち続ける。だが、人間の手でしかこなせなかったささやかな仕事を機械が奪うのなら、かつてその仕事をこなす労働者たちが納めていたのと同じだけの税金を、資本家は納めるべきだ。

いずれにせよ、金持ち連中が商売できなくなることはない。顧客を失うことはなく、利益を上げ続けられるだろう。そしてもし金持ち連中の子どもが、「この新しい課税の仕方は進歩をさまたげる」だとか、「せっかくCBF－28を導入したおかげで無用の長物となった労働者たちを、また雇い直さなければならなくなった。こんなのは退化じゃないか」といった文句を並べ立てるのなら、ぼくたちはこう応えるしかない。

「進歩の定義は、人それぞれなのさ」

14

基礎食品と眠る場所の心配をなくす

健康的な食事。そして安全に眠り、ゆっくり考えをまとめられる場所。この二つの内容を具体的に定義するのは、ロボットに所得税を課すのと同じくらい難しいかもしれない。

資本家の観点からすると、生産設備（人間も含む）の価値は、どれだけ勤勉に労働し、目標を達成したのかという成果に応じて決まる。アメリカで生活する労働者階級の市民たちもまた、この考え方を受け入れてきた。資本主義によって平等は支えられているし、それこそは、建国の父たちが制度化した理念にほかならないというわけだ――バカバカしい。でたらめだ。

資本主義は、民主主義やナショナリズム、あるいは人々のしあわせとはまったく関係がない。そこで問題とされるのは、利益と競争だけなのだ。

一人の労働者が飢えているとしよう。そのとき資本主義は、「おまえには職業倫理が足りない！」とその人間を責め立てることはしない――ごくごく単純に、一人の労働者が死のうが生きようがどうでもいいのだ。経済システムという無生物は、死の概念を持たない。

健康で十分に休息をとれていて、仕事には満足しているし、未来にも不安がない。ぼくたちみんながそういう状態にあれば、この国の生活の質は改善されたと言えるだろう。

ぼくたちアメリカ市民は、労働環境が浮き沈みするのは運命なのだ、と刷り込まれている。自分たちの労働が、資本家によって設定された目標水準にまで達しなければ、貧困や路上生活、病気、そして最終的には犯罪の世界に身を落としても仕方がないと考えているのだ。これでは、年を取っていたり、病気にかかっていたり、まともな教育を受けられなかったり、人とはちょっと違う性格に生まれついたせいで社会に居場所が見つけられなかったりしたような人たちは、きわめてきびしい立場に置かれる。

でも、ぼくはこう考える。何らかの理由で、一時的に、あるいは一生涯にわたって、生産手段と生産様式から切り離されてしまった人々のための場所と、しっかりした支援の仕組みを作る。そうすれば、一般労働者の感情的・身体的な痛みを緩和しつつ、資本主義の生産力と活力を向上させていくことができるような世界が生まれるはずなのだ、と。

だから提案したい。

食料については、連邦政府は九から十品目の基礎食品を設定し、助成金を与えるべきだ。この基礎食品〔たとえばアメリカ農務省は以下五つの食品群を提唱している。果物、野菜、穀類、タンパク質食品、乳製品。日本の旧厚生省保健医療局の作成した六つの基礎食品群は以下のとおり。一群＝魚、肉、卵、大豆、大豆食品。二群＝牛乳、乳製品、海藻、小魚類。三群＝緑黄色野菜。四群＝淡色野菜、果物。五群＝穀類、イモ類、砂糖。六群＝油脂類、脂肪の多い食品〕にはすべての食品群が偏りなく含まれるようにし、価格はきわめて低い水準に設定する。それぞれの食品の最小単位の価格は、一〇セント〔一ドルの一〇分の一〕以下にすべきだ。

たとえば一ポンド〔約四五三グラム〕の牛肉は一〇セント、国営ビール会社のビール一パイント〔アメリカでは四七三ミリリットル、イギリスでは五六八ミリリットル〕は五セント、一ガロン〔約三・七八リットル〕の紅花油は一〇セントにする。具体的な品目がこれでいいのかどうかは別として、イメージはつかんでもらえるだろう。

リサイクル用のガラス瓶を回収するなどしたことで得られるほんのちょっとした小銭で、どんな人でも自分や家族の食費を賄えるようにする。そうすれば、慈善事業や福祉制度がほとんど必要なくなる。だれもが自尊心を傷つけられることなく、健康を手に入れられるようになるだろう。さらには失業率が上昇し、国民の一〇から二〇パーセントが失業するか不完全雇用の状態になるような時期がやってきても、ぼくたちは生活を持ちこたえることができる。

充分な食べ物があれば、心があたたまり希望が生まれる。絶望的な貧困と飢餓状態に陥るかもしれない、という恐怖からも解放される。

この方法が〝アメリカ式〟に見えないことは承知している。ぼくたちの頭の片隅にはいつでも、「働く者食うべからず」の声が響いていることもわかっている。「一定の収入を得て、食事をし、あたたかい寝床で眠るためには、だれもがきちんと働かなければいけない」というやつだ。でももちろん、こういう決まり文句の多くがそうであるように、これもまた誤りなのだ。

すでにアメリカ政府は、最低でも九品目の主要な食品に助成金を支給している。ぼくたちは――いやもっと正確に言えば、資本家に言われるがままに動く議会は――トウモトコシ、小麦、大豆、米、ビール、牛乳、牛肉、ピーナツ・バター、そしてヒマワリ油にたいして助成している。ぼくたちの払った税金が、これらの食品のために使われているのだ。そしてこれらの〝基礎食品〟は、ファーストフード・チェーンや大規模な農業関連産業、そして巨大な食品加工会社を支えている。身体に悪ければ悪いほど、安くなるというわけだ。過去一〇から一五年の間だけでも、ぼくたちはコーンの助成金に七〇〇億ドル以上を費やしてきた。

まったく新しい助成金制度を作ってくれという話ではない。ただ既存の制度を改善し、身体に良いものに助成金を振り向けようと提案しているだけのことだ。コーン・シロップではなくブロッコリに、スターチではなく玄米に。

食べることへの基本的な権利の問題が片付いたら、残るは、健康的な食糧をたらふく食べたあとで眠る場所のことを考えるだけだ。

ぼくはこう提案したい。連邦政府と地方自治体は、協力し合いながら〈基礎住宅〉を建設する。広さは、たとえば一人につき五五〇平方フィート〔約五一平方メートル〕で、だれもが入居の権利を持つ。スラム街に貧困層向け住宅を建てよう、ということではない。都市のあらゆる街区に設けるのだ。そうすれば、社会階層と結びついた住宅にはならない。なぜなら多くのアーティスト、科学者、職人、思想家たちが、こうした住居での生活を選択するに違いないからだ。高い家賃を払わなくてもよければ、思考と創作にかける時間を増やせる。もちろん、失業中の労働者や高い学歴を持たない人たちも、ここに住むだろう。一人親家庭や年金生活をしている高齢者も、高い家賃を払うよりはこういう公共住宅を選ぶだろう。

家賃は、居住者の収入の多寡に関わらずその一〇パーセントとする。収入がなければ無料だが、一五〇〇万ドルの年収がある投資家が住む場合には、年に一五万ドルの家賃を支払う。

すべての人に、収入に対してまったく同じ比率を占める家賃の住宅を提供する。そうすれば、国民の心に安定が生まれるだろう。これによって、すべての国民に気持ちの余裕を提供できるのだ。

この提案が実現したら、定職に就くこともなく政府の助成金でまかなわれた食料を食べ、安い公共住宅に住み続ける人ばかりが増えるのだろうか？　ぼくはそう思わない。ほとんどのアメリカ人は、それでも夢を追い求めるはずだ。大きな庭付きの家と、南仏コートダジュールですごす夏、みたいな。中には夢を達成する人もいるだろう。だが心と身体を病み、景気の浮き沈みや、単純に年を取っていくという事実に翻弄されるぼくたちのような人間にとっては、この公共住宅がたいせつな心のよりどころになるだろう。そこで暮らしているかぎり、情け容赦のない資本主義という現実の中で生きる、みじめな人生の不安から離れられるのだから。

この制度があれば、失業保険も要らなくなる。警官やソーシャルワーカーの数も減らせるだろう。路上生活やファーストフードのせいで引き起こされる病気が減り、セルフメディケーション〔保険適用外の薬品などを自分自身で購入・服用し、健康を自己管理すること〕のための法外な費用に苦しむ人々——社会のありかたのせいでそういう境遇に陥ったのにもかかわらず、

〝人生の敗残者〟〝負け犬〟のレッテルを貼られている人たち――もいなくなる。

アメリカ合衆国は、史上最も豊かな国なのだ。だから、ほんとうの意味で美しい社会のありかたを示そうじゃないか。社会主義と資本主義の両方から良いところを取りだせば、そのための新しい仕組みを作り出すことができる。

人生の貧乏くじを引いてつらい状況にある人間には、休息し、元気を取り戻し、じっくり考える時間が必要なのだ。ぼくたちの社会が持っている美しさは、文化によって支えられている。その文化が悠然と生き続けるためには、アーティスト、哲学者、科学者、ヨガ導師といった人びとのための家を用意しなければならない。

15

所得税率は一定にし、真に自由な市場を守る

税。税。税。死語も含めたすべての言葉の中で、もっと忌み嫌われているのは税という言葉だ。企業の利益には課税される。市や州、そして連邦政府は、個人の所得に手を伸ばしてくる。ぼくたちの労働の価値を下げる、イヤな横やりの一つだ。タバコの価格のうち九〇パーセントが税金だ。つまり、合法的なドラッグであると同時に連邦政府によって認可された毒物であるタバコへの依存症には、とてつもない税率を課されているわけだ。ぼくたちは、くり返し何度でも税金を取られる。財布や銀行口座や未来にへばりついて永久に離れない、いやらしい吸血鬼。ほとんどすべての人類がこいつを嫌悪している。

死と税から逃れられる人間はいない。地球上に暮らしていて、ある程度社会的な生活を営んでいるすべての生き物は、税を納めなければならないのだ。ぼくたちには、学校や道路や下水設備が必要だ。福祉制度や戦闘機、統治体制や法律、そしてその法律に基づいて審判する裁判所、それから判決を実行に移すための刑務所や絞首台も必要だ。外国にある自国の権益を守るための軍隊と、いつの日かぼくたちの未来を脅かすかもしれない秘密を盗み出すためのスパイも。それから原子爆弾も必要だとぼくたちは言う。紛争地で命を落とす子どもみたいな年齢の兵士たちも。何十年経っても、なぜあんな紛争が起こったのか、だれにもわからないというのに。風にはためく国旗だって必要だし、州知事の官邸や警察署もいる。労働組合に支払う年会費だってある。

税金からは逃れられない。重力から逃れられないのと同じだ。人はこの負債を背負って生まれてくる――これこそが〝原罪〟だと、ぼくは思う。

ぼくはある日死ぬ。そしてその瞬間まで、一日も欠かさず税金を払い続けることになるだろう。そのことは受け入れよう。所得税、奢侈(しゃし)税、通行税、消費税、ありとあらゆるかたちの税金のほかにも、賄賂や身代金すら払うはめになるかもしれない。義務からは逃れられないのだ。ならばせめて、平等に負担すべきだ。

所得税率は、収入の多寡にかかわらず一定にすべきだとぼくは考えている。税額を算出する計算式は、一つだけであるべきだ。これは、公共住宅の家賃を収入の一〇パーセントに固定する考え方と同じだ。複雑な控除制度を駆使して、収入をたくみに隠せるような税制では意味がない。税金についての知識がなかったり、そういう知識を駆使するための金がなかったりする人たちばかりが損するようなことは、あってはならない。仮に税率が二一パーセントとされたら、すべての人が——金持ちも貧乏人も——その分を納めなければならない。このせいで救貧院がいっぱいになるとは思わない。なぜなら、安い家賃で入居できる公共住宅を設けるからだ。飢餓状態に陥る人が出るとも思わない。なぜなら、ブロッコリや玄米や豆類の価格は、だれにでも手に入る水準になるからだ。

ぼくは、資本主義の味方でも社会主義の味方でもない。だから、金持ちに高い税率を課すべきではないと考えている。[*] すべての人が安心して——一文無しになる恐怖とは無縁に——生きていく。そのためになら税金という吸血鬼を受け入れて、必要な分を全員でまかなおうという話だ。

＊たとえば、社会保障税に設けられた課税対象額の上限を見てみよう。二〇一五年には、これが一一万八五〇〇ドルだった。この額を越える分の所得については社会保障税が課されないわけだが、この上限を取り払えば、国全体が必要とする社会保障費は完全にまかなえる。アメリカ人全員が、ある年齢になったら引退し、若い市民に労働市場を譲れるようになるのだ。

ぼくたちはミツバチじゃない。でも、だれだってしっかりとした社会的なセーフティネット（たとえば公共住宅や基礎食品への助成金）に守られる権利がある。この点については、ほとんどの人が同意してくれると思う。それから、すべての人が〝ほんとうの所得〟の中から一定の割合を税金として納めるべきだという点も同様だ。こうしておけば、資本主義のシステムに押し潰される人間はいなくなるという意味で、社会主義的な要求は充分に満たされるはずだ。同時に、ある程度自由な市場で金を稼ぎ、競争をすることもできる。それによって、資本主義的な欲求も満たされるというわけだ。

〝自由な市場〟という言葉については、もっと詳しく見ていこう。

11章に出てきた、三人の若者の話を思い出してもらいたい。巨大ドラッグストア・チェーン店の前で商売をしていた人たちだ。彼らの行動こそが、ほんとうの資本主義だとぼくは考えている。MBAも、法人の後ろ盾も、市から取得する高価な認可証も持たず、高学歴のスタッフや金儲けにギラギラしている弁護士を引き連れることもない、裸一貫の事業家たちだ。彼らは自分たちの所有する商品を流通させ、売ろうとしている。この三人の若者こそが、アメリカにおける〝自由企業体制〟〔複数の競合企業が利益を獲得するために商品やサービスを売る、という経済システム。政府の干渉は最小限に留められる」の真髄を体現している。

人々の基本的な権利（必要なもの）を守るためには、社会主義的な考え方が必要だ。だが同時に、これから芽吹こうとしている資本家たちの権利も守るべきだと、ぼくは考えている。巨大企業が立法府への影響力を行使して、屋台で商売する人たちやインターネットを活用した起業家たち、それに街角でレモネードを売る売店の商売を邪魔してはならない。アメリカ人の一人ひとりが、巨大企業と競争する権利を持っている。ファーストフード・チェーンの代表者が市会議員を豪華なランチに連れ出せるからといって、ぼくがそのチェーン店の前でホットドッグを売れなくなるなんてことがあってはならないのだ。

競争こそが価格を下げ、消費者のためにもっと新しい、もっと良いものを生み出す。

ぼくたちはかつて、カルテルや独占を法律で厳に禁じていた。ところが、今や野蛮な大企業にたいして、かたちばかりでも抗議の声を上げる者はいなくなった。ぼくが子どもの頃は、二桁以上の利息は〝高利〟と呼ばれ、高利での貸し付けは強要罪で有罪になっていたものだ。それが今では大手銀行がクレジットカードを発行しまくり、二〇パーセント以上の利息を取っている。一回に一〇〇ドル使えば、一年で利息は二〇ドルだ。ただし、毎日複利計算で利子は増え、その分も毎月請求される。

金持ちはどんどん金持ちになっていき、一般市民の男女には太刀打ちできない。彼女／彼は仕事を見つけて雇用されるか、この世界の縁（ふち）から奈落の底に転落するか、二つに一つしかないのだ。

商店主（ほんとうの意味での商店主／資本家たち）の権利を守るということは、国全体の経済を健全な状態に保つことにほかならない。

16

自分のほんとうの姿を見失ってはならない

この章では、問題点を絞り込んだり、対処法を考えたりすることより、どちらかといえば労働者の団結――組織化――について話をしたい。ほとんどのアメリカ人たちが、囂々たる非難――おそらく想像上の非難でしかないのだが――にさらされたくない一心で、避けて通りたがる話題だ。

一〇〇年以上前、すぐれた組合活動家で数々のプロテストソングを作ったジョー・ヒルが、ポートランドから一通の手紙を書いた。血まみれで絆創膏だらけ、ボロボロの手をした一人の男が、打ちひしがれた様子で道ばたの柵に腰かけていたのだという。それを見たジョー・ヒルは、「仲間がいると思い、近づいていって「どうしたんだい?」と尋ねた……」。

この姿勢こそが、今のアメリカ人に欠けているものだ。この姿勢さえあれば、変化を引き起こせる。もっと地に足のついた社会にするために、一歩を踏み出すことができるのだ。

ジョー・ヒルは、その傷ついた労働者が、自分とおなじ社会階層の人間だとわかっていた。二人とも同じように汗して働き、わずかな希望の欠片（かけら）を糧に生きている労働者だった。ジョー・ヒルは、自分が労働者階級に属していることを恥じなかった。〝労働者〟と呼ばれるのは、〝男〟だとか〝人間〟だとか呼ばれるのと同じ意味しか持っていなかった。ジョー・ヒルは労働者だった。かつても今も、ほとんどのアメリカ人が労働者だ。

でも、二十一世紀のこの発達した社会に生きるぼくたちは、渡り労働者だったジョー・ヒルの智慧を持っていない。だれもが、自分は中流階級に属している選り抜きだと思い込んでいる。大統領までが、「我が国の経済を守る」と語るときに、「中流階級の生活を守る」と表現しているのだ。

大統領のくせに、こんなこともわからないのだろうか？　給料日から給料日へとぎりぎりでやりくりしている人間と、少なく見積もっても三〇万ドルにはなるポートフォリオ〔金融資産の組み合わせ〕からあがる収益だけで生活している人間とには、大きな隔たりがある。そういう人間たちを、

〝中流階級〟とひとくくりにするなんて。

ある賃金労働者の女性が、ぎりぎりで生活しているとしよう。稼いでいる給料の額では、住宅ローンや子どもの教育費、各種の保険料、税金、公共料金、組合費、最低限の生活費を支払っていると、借金が一向に減らない。それでも仕事があるかぎりはどうにかやっていけるが、もし収入の道が断たれたらすべてを失うことになる。

投資からの収益だけで生きている人間の場合でも、不況が一、二年続いたときに乗り切れるだけの金を、どこかに塩漬けしておかなければならない。さもなくばたちまちのうちに、まちがいなく労働者階級の一員となるだろう。富裕層の人間は、社会のほんのわずかな割合を占めるにすぎない。にもかかわらず、だれもがそういう社会階層に属しているというフィクションにすがりついて生きていると、いつのまにか彼らと運命を共にしていたということになりかねない。自分たちとは何の関係もない連中が必要としているものを優先してしまったがために。

「みなさんは経済的なエリート階層に属しています。荷役人足や農民とは違うのです」。ぼくたちはそう洗脳され続けている。だけど、格好はいいけどペラペラな服を二〇パーセントの金利が付くクレジットカードで買ったり、何千ドルもの借金をして手に入れた高級車を乗り回したり、ローンを組んで（同じく借金まみれの隣人ばかりが住む地区に）豪邸を建てたりしたからといって、上流階級の仲間入りをしたとは言えない。社会を支配するシステムの生み出す幻想が、借金を重ねてまで購買したいという衝動を駆り立てているにすぎないのだから。

この問題には二つの側面がある。一つは、〝成功〟とはどういうものなのかということについて、大統領の提示する定義を、ぼくたちがなにも考えずに信じているということ――つまり、生活の安全も特権もかねそなえた中流階級の生活を送れれば成功である、という幻想を信じ込んでいるということだ。一生懸命働いて、社会の立派な一員にならなくては。そうしないと、この国の文化や学校、隣人や大統領ですらも、〝落伍者〟の烙印を押してくるぞ。ぼくたちは常にそう感じている。

それだけではない。どうしてこんなことすらわからなくなっているのかと言えば、社会全体を洗脳のからくりが覆いつくしているからなのだ。その結果、ぼくたちは自分の姿を見失い、自分とはまったく違うものを自分だと思い込んでいる。自分のことを意気地なしだとは思いたくないし、今まで間違った自己認識を抱き、持ってもいないものを持っていると信じ込んでいたとは、どうしても認めたくないのだ。

でも、真実は変わらない。ぼくたちは、自分のことを実質以上によく見ようとすることで、金持ちやほんとうの中流階級の借金までをも肩代わりしている。賃金を稼いで生活しているぼくたち労働者階級の人間は、自分自身を裏切ってきたのだ。

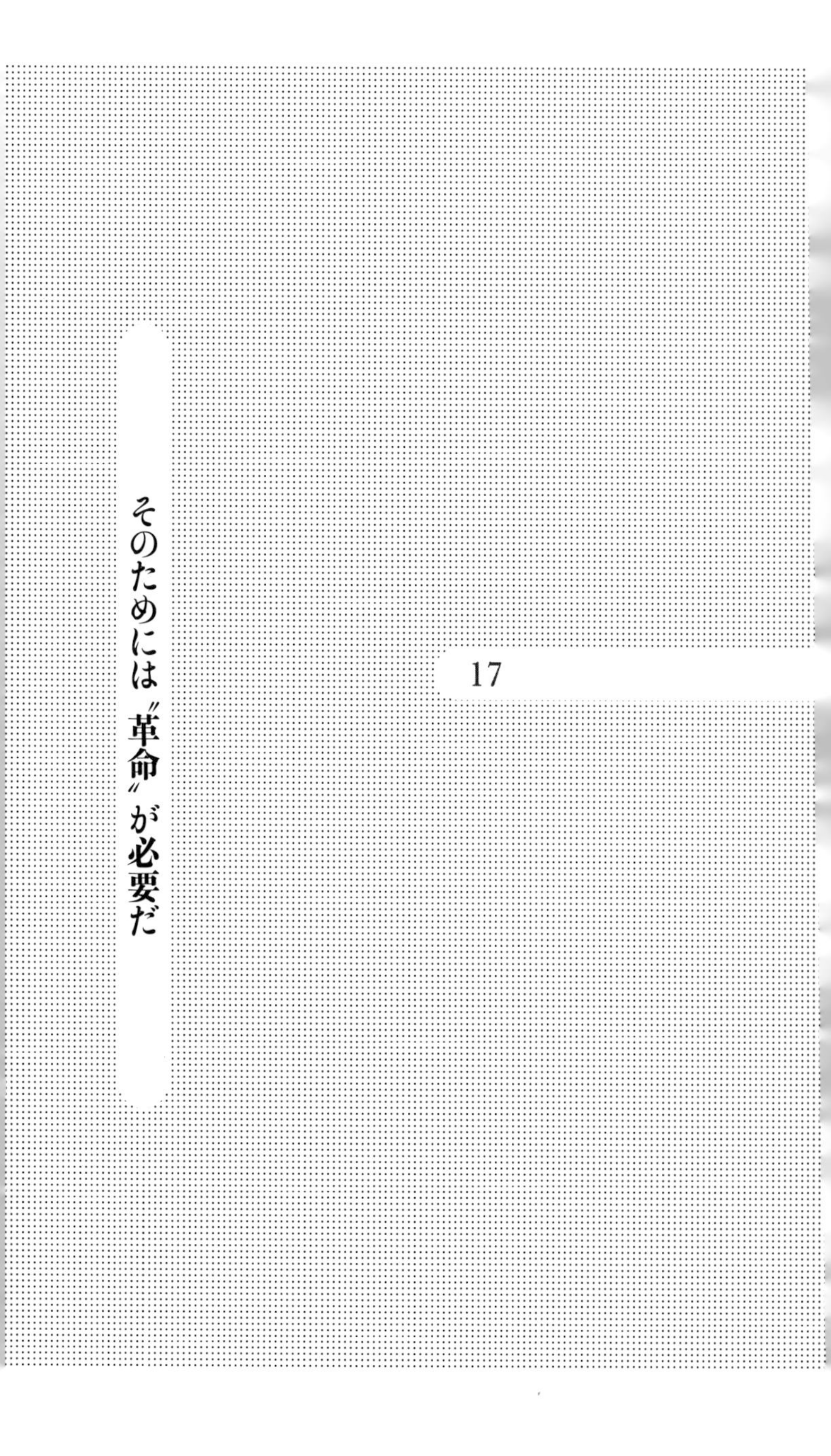

17

そのためには〝革命〟が必要だ

〝赤いもの〟を〝黒いもの〟の中に折り込んで、そこから新しい社会の仕組みを作り出す。そのためには、革命が必要だ。二つのシステムが、長いあいだ熾烈な闘いを繰り広げてきた。この争いから解放されるためには、それ以外の方法はない。

一方は、財産は個人によって私有されるべきだと主張し、もう一方は、財産は社会全体で共有されるべきだと主張してきた。どちらの考え方も、人間にとっては自然な衝動に基づいているし、どちらの側にも金持ちと貧乏人がいる。

では、所有と共有をめぐる二つの考え方を融合させるとは、どういうことだろう？　いちばんわかりやすい例は、核家族だ。親の一人が、家族をこう紹介したとしよう。「こちらが私の配偶者で、こちらが私の息子、そして私の娘です」。ここでは所有の表現が使われているわけだが、この発言に対して、「あなたは家族を奴隷扱いしている」と非難する者はいない。

この人物は、配偶者と子ども、そして場合によっては親戚にいたるまでを支え、自分の財産を共有するつもりでいる。まわりの人間も、この人がそうするだろうと考えている。ぼくたちは自分の子どもに食事を与え、服を与える。そして子どもたちのほうは、そのために労働する必要はない。また、ぼくたちは老齢の両親には庇護の手をさしのべなければならない。そうしてもらう両親のほうも、かつて子どもだったぼくらを庇護したではないか、と主張する必要はない。

こういう家族のありかたについて異論を差し挟む人はほとんどいない。問題となるのは、子どもたちが親子間にある社会主義的な関係の保護の外に出て、この無味乾燥な世界で生きはじめてからのことだ――この点では、資本主義も社会主義も変わらない。世の中を動かしている仕組みは、人間の抱えている矛盾し合う感情なんか理解していない。だからたいていの場合、ぼくたちの夢は否定され、粉々に打ち砕かれることになる。

幼い頃、道を横断しようするたびに、母親からこう言い聞かされていた、と話してくれた友だちがいる。

「あの車に乗ってるのは、お父さんじゃないんだからね」

このお母さんの言いたいことははっきりしている。ぼくたち歩行者は、巨大な機械のように動いている現代社会に対して、愛情を求めてはいけないということだ——けっして。

だから、この愛情を新しい社会の仕組みの中へと拡大していくためには、歴史に反旗を翻さなければならない。〝帝国主義的泥棒資本家〟を打ち倒そうというのではない。〝プロレタリア独裁〟を転覆しようというのでもない。ぼくたちがすべきなのは、〝ユートピア〟的な幻想を打ち砕くことだ——感情を持たない巨大な機械のようなこの社会が、ぼくたちのしあわせを追及してくれるだなんてのんきに考えるのは、もう止めにしよう。人間という脆(もろ)い存在など、社会の側からすれば自分たちに奉仕する部品でしかないのだから。

そういうわけで、〝アナキストの爆弾魔〟あるいは〝血に飢えたカスター将軍〟〔南北戦争で戦功を上げた北軍の将軍。一九七〇年代以降の西部劇では〝インディアンの虐殺者〟として描かれることが多い〕よろしく、ぼくはこう呼びかけよう。

――古いものをばらばらに解体し、粉々に打ち砕き、踏みにじろう。人々の記憶に残ったその残骸が、教訓に満ちたダーク・ファンタジーかホラーでしかなくなるまで、徹底的に破壊するのだ。

信じてもらいたい。もしほんとうの意味で人間らしい政治の仕組みを花咲かせるためには暴力的な革命が必要で、この花をしっかりと根付かせるためには、血塗(ちまみ)れの土壌がなくてはならないということなら、ぼくは重い心を押さえつけて暴力を支持するだろう。流血の革命を経験したら、ぼくの心はもう元通りではなくなってしまうとは思うけど、でも、そういうことなら武器を手にするしかない。

でもさいわいにも、それではむしろ逆効果なのだ。暴力は、歴史の中に尖った槍を埋め込む。死によって戦いを制したら――つまり死が自由の対価となってしまったら、そこからはとめどない復讐の連鎖がはじまる。暴力的な革命が、苦しみに終止符を打つことはほとんどない。勝者が、味方の陣営にいる恵まれない人々に助けの手を差し伸ばすことはあるだろう。でも、ひとたび暴力に手を染めたら、終着点がなくなる。敗北者たちや、彼らに心を寄せていた者たちの中から、暴力が消え去ることはないのだ。殺しを通貨として暴力が取り引きされるようになり、その残響は、何十年も何世紀も、時には何千年ものあいだ、ぼくたちにつきまとうことになる。

ぼくたちには革命が必要だ。でもこの反乱は、人々の心と頭の中で起こすものだ。社会という巨大なエンジンのキャブレターの中で爆発させるものではない。純粋なかたちの資本主義や社会主義がかつてそうしたのとはちがって、この革命では、人々の心と身体を変革の起爆剤として犠牲にするわけにはいかないのだ。〈アントピア〉は、大多数の人々の合意の上にしか実現しないし、そうでなければ長保ちしないだろう。

「ぼくたちは、自分の生き方を自由に決められる。その過程では、必然的に他人を助けることになる。なぜなら他人とはすなわちぼくたちのことで、彼らこそぼくたちの自由そのものなのだから」

　この言葉を、祈りか希望に充ちた詩の一節に仕立てて、何度でも何度でも口にしよう。この言葉を心の底から信じられるようになった時にこそ、革命は成就する。

「あなたがいなければ、ぼくは存在できない。たとえあなたとぼくのあいだに決定的な相違があっても。そしてこの相違の中にこそ、死すべき運命にある人間だけが持つ、はかない神々(こうごう)しさがある」

この不思議な方程式こそが、新しい社会を守る防波堤となる。純粋なシステムや、掠奪の仕組みを排除したあとにできあがる社会。社会のありかたを、システムの側ではなく、人間の側が決めていく世界。ここでなら、生きていく価値がある。

もしぼくが詩人だったら、自分で詩に書きとめたところだ。

あなたとぼく、両足はしっかりと大地を踏みしめ、心浮き立たせる大空を見上げる。そこまで手を伸ばすためにはテクノロジーの助けが必要だけれど、大空はぼくたち全員の頭上に広がり、いつの日か人間が大切なことに気づく日まで、しんぼう強く待っていてくれるのだ。

18

資本主義と社会主義に手綱をかける

話したいことは、もうあまり残っていない。

資本主義者はキラキラ光る小石を集め、社会主義者はカモをきっちり列に並ばせていればいい。「あの政治体制はダメだ」と非難し合い、お互いを排除し合うような世界。〝ユートピア〟の名の下に官僚主義を徹底するような世界。ぼくたちはそんなものはすべて捨て去って、別の世界で生きようじゃないか。

互いに敵視し合い、潰そうとし合うような政治体制。システムを機能させるためだけに、人間を抑圧する政治体制。この二つだけは、なにがなんでも排除しなければならない。どちらも、非人間的かつ反人間的な完璧さへと、ぼくたちを駆り立てるものだからだ。それはぼくたちの自由を脅かし、神経をすり減らし、ときには心の病の原因となる。

まずは、資本主義に制限を設ける必要がある。資本家たちが、かき集めた富にものをいわせて、ぼくたちが必要としているもの（すなわち人間の権利）を左右することがあってはならない。特定の人物の選挙運動や、選挙で選ばれて公職に就いている人、官僚や労働組合のリーダーに、資金を提供することは許されない。提供する側が金持ちでも貧乏人でも、あるいは法人であっても、このことは変わらない。慈善事業に寄付するのはいいだけど、慈善事業が必要だということは、そもそも社会がうまくいっていない証拠なのだ。この認識が、広く政治の世界に行きわたっていなければならない。必要なものを手に入れられない人が存在する社会になってしまっている、ということなのだから。つまりその社会では、一人ひとりのしあわせという、ぼくたちが最優先する唯一の究極的な課題が顧みられることなく放置されていることを意味している。

財産は守られなければならない。おそらく、金持ちの所有する広大な土地や、商品をいっぱいに詰め込んだ倉庫を守るためには、警察などの社会資源がより多く必要になるだろう。でも警察官は、大富豪の屋敷を守るのと同じ真剣さで、労働者たちの家を守らなければならない。ようするに、財産の保護は、ぼくたち一人ひとりが持っている生きる権利より優先されてはならないということだ。

念のために、ここでもう一度繰り返しておこう。成功した資本家たちは、新進の資本家たちの成長を妨げてはならない。さらにつけ加えておくならば、人々が必要としているもの（つまり権利）を妨げないかぎりにおいて、起業の自由は守られるべきだ。

（ぼくの考える）完璧な世界では、法律家たちは国のためにのみ働き、国によって賃金を支払われる。こうすれば、裁判における不公平から一般市民を守ることができる。高給取りの弁護士軍団を率いた金持ちに対して、法律扶助の制度〔経済力がないために法律上の保護を受けられない人たちにたいする援助制度。国選弁護人制度など〕によってあてがわれた疲れ切った弁護人一人しか味方につかない労働者が立ち向かう、という図式を変えるのだ。経済力にかかわらず、質の高い弁護を平等に受けられる。これこそが、司法における平等だ。正義が金で売買できるようなことは、ぜったいに避けなければならない。

資本主義には、検討しなければならない側面がもう一つある。でも白状しておくと、これが解決策だ、という明確な答えはまだ見つかっていない。それは、資産の海外移転のことだ。どんな国の天然資源でも、通貨――ドル、ユーロ、ポンドなど――に換算される。そしてもし、ぼくたちの国で採取された資源をほかの国で加工するほうが安い場合、加工という過程はその国に持ち出され、国内の労働者はその分の収入を失うことになる。どちらの国の資本家も金を稼ぎ、ぼくたち労働者は損をするというわけだ。市場での競争力を保つために、人件費（労働の価値）を下げ続けるというのは、資本主義の基本的な行動原則だからだ。

海外への労働委託（アウトソーシング）を法律で禁止するのは簡単だろう。「国内の労働者を守るため」というのがそのときに使われる正当化の理屈だ。でも、世界中の労働者は経済でつながっている。コンゴでレイプされている女性を放っておいたり、中国やインドの労働者が飢えていることに目をつむったりさえすれば、資本主義と呼ばれる〝ユートピア〟の抱える問題が根本的に解決されるというわけではない。国際貿易は現実であり、それを否定することはできない。孤立主義では前に進めないのだ。だれもがほかの人の権利と夢を支えながら、自分の夢を追いかけられる。そういう社会を実現させようとしているぼくたちを、後退させるばかりだ。

　ぼくたちは、いつ戦争が起こってもおかしくない世界に生きている。だから、〝こうだったらなあ〟という願望に基づいて問題に対処するわけにはいかない。あるがままに問題を受けとめ、対処法を考えなければならないのだ。

　資産の海外移転（アウトソーシング）については、こういう方法を採れば、問題をある程度是正できるのではないだろうか。海外の工場で商品を作らせた企業に対しては、その商品の製造にかかった労賃の五〇パーセントを超えない額の税金を課すのだ。そうすれば海外の勤勉な労働者たちも職を失うことがないし、企業も正当な利益を確保できる。国内に残る仕事もあるだろうし、政府の側は市場での〝自由な競争〟を守りつつ、労働のアウトソーシングをいくらかは管理することができる。

さて次に、社会主義に制限を課す話に移ろう。

ここで忘れてはならないのは、官僚主義の独裁というやつだ。官僚たちは、コンクリートでできた巨大な建物の中で蠢いている。法律やら内規やら、慣例やらお茶の時間やら、永遠に続く骨折り仕事への不満やらを祀る、大霊廟のような場所だ。公務員たちはパーティションで区切られた机に向かって、ありとあらゆる種類の書式を埋めてはファイルに綴じてしまい込む。社会主義は、スターリンから四人組〔中国の文化大革命を強力に推し進めた四人。毛沢東の死後に失脚〕まであらゆるものを生み出してきた。でもぼくに言わせれば、結局のところ社会主義はどうしても、官僚組織内でしか通用しない〝ダブルスピーク〟〔ジョージ・オーウェルの小説『一九八四』に登場する用語。ニュアンスや意味を和らげるために使われる言いかえ〕によってぼかされた灰色の靄に行きつくことになる。長い行列に並んで延々と待たされ続けたあげく、やっと順番が回ってきたかと思えば、窓口の役員にせせら笑いを浴びせられたり、横柄にうなずいてみせられたりするだけ、というあの光景だ。

それでもぼくたちの生活には、社会主義的な考え方が欠かせない。資本主義の規制、病院、消防署、警察。それから、ぼくたち一人ひとりが安心して生きがいを見つけられるように、万が一の時に支えてくれる福祉システム。そういったものは必要だ。

問題が起こるのは、社会主義制度の奥深くにある聖所が、ぼくたちの人生と心を思い通りに管理したいと考えはじめる時点からだ。ぼくたちの労働の価値や人生のありかたまでを、保険数理〔〝予定死亡率〟を算出する計算や理論など〕に基づいて勝手に決められてはたまらない。そんなものを使っても、子どもがほほえむ瞬間や、未開墾地を耕す農夫がふと空を見上げ、自分の死すべき運命を受け入れる瞬間がいつ訪れるのか、といったことを予知するのは不可能なのだから。

社会主義そのものは、なにを考え、なにを発言し、なにを着たり感じたりすればいいのかということまでは教えられない。学習の仕方や愛し方、あるいは自分の身体や自分の労働力との向きあい方といったものを、社会主義に教えてもらうわけにはいかない。人を何度も何度も列に並ばせたり、人々の心を分断し支配するために作られた鋳型の中にぼくたちを押し込めたり。社会主義に、そんなことはさせられない。ぼくたちの経験や希望を評価する、唯一共通の基準など存在しないのだ。ぼくたちはミツバチでも鳥でもない。ましてやエサではない。

社会主義がぼくたちの財産を取り上げたり、ぼくたちの価値を決めたりすることはできない。ときには、法外に高く跳ね上がる物価に制限を設けるのはいい。しっかりと民主的に議論を重ねたのちに、人間が生きるために最低限必要なものの価格に制限を設けるというのもいいだろう。でも、人を拘束したり、国外に追放したり、強制送還したり、犯罪者扱いすることは許されない。[*] これは国境の内側で生活しているすべての人にあてはまる。だれ一人、公式文書の端っこに記されているちょっとした脚注のような規定や、判例の片隅で言及されているからというだけの理由で、存在や権利を否定されてはならない。

＊どうしても必要な場合にこうしたことを実行に移す法律まで、いっさい存在してはならないと言いたいわけではない。ぼくたちの自由を冒す、官僚的な規則を設けてはならないということだ。

ここでの〝社会主義〟とは、「お互いに支え合いましょう」という合意を意味するもので、その内容はだれにでも理解できるよう明確に言語化されたものでなければならない。社会主義的な考え方に基づいて組み立てられたシステムは、いつでも市民の監視下にあり、しかも監視にあたる市民は、システムの側からいっさいの利益を受け取らない人でなければならない。

個人の権利より優先されるべき政治システムなど存在しない。そしていかなる経済システムも、家族を結び合わせる愛のありかたを模倣することはできないのだ。

19

労働時間を減らし、日常から飛び出そう

最後に、現代社会における労働時間の問題についても考えておこう。

産業革命期〔アメリカでは、一八六〇年代、南北戦争後に本格的な産業革命がおこったとされる〕のアメリカ人労働者たちは、老若男女を問わず週に六日半、一日に一二〜一六時間働いていた。二十世紀の半ばまでに、それが週四〇時間に減った。労働力としてロボットが導入され、それに対して課税される社会ではどうだろう。週労働日数を、もしくは労働人口を、思いきってもっと減らしてもいいとぼくは思う。そうすれば、公共住宅で基礎食品を食べながら暮らしていきたいと考える人は、仕事に追われる日常から飛び出していけるようになる。とにかく、自由時間が増えれば創造的な空気が生まれ、それが社会の発展につながるはずだ。

労働を否定するつもりはない——人間らしさとは、労働や愛、そしてアートを通して現れてくるものだとぼくは信じているからだ。でも、人生でなにをするかということについてはバランスが必要だし、それが自分で納得できるバランスなのかどうかということも大切だ。だから、どうやって自己実現をすべきなのか、ほかの人たちのその人らしさをどうやって尊重すべきなのか、学校などでの教育においてはそういうことを教える必要がある。そのときに駆使されるのが、創造力やテクノロジー、そして広い知識と思考力だ。労働は、社会に住むぼくたち全員と、ぼくたちのありかたを向上させる方向に進まねばならない。

ある特定の行動や、特定の人間の作り出したものが、ほかの人々のしあわせをどれほど阻害するのか。犯罪は、そのことだけを基準として定義されるべきだ。

ある女性がある男性よりも懸命に働いているのなら、彼女の収入は彼よりも多くなくてはならない。でもだからといって、彼が飢えてもいいということにはならない。まずは、健全な人々の勤勉さに信頼を置く。そのうえで、人々が強制されることなく、おのずと自分に合った仕事を選択できる世界を目指して、力を尽くすほかないのだ。

資本主義と社会主義の〝ユートピア〟は、しっかりと堅固に組み上げられている。ちょっとやそっとではゆるぎそうにもない。それを打ち倒そうというぼくたちの企みは、とてつもない規模の仕事だし、理想主義そのものだ。前の段落までを読み直してみると、つくづくそう感じる。

この現代社会に生きながら、心の安定としあわせを求めて声をあげる人のことを思い描いてみよう。自分がそう望むのであれば、国家の贅肉を食べて生活し、働きたいときに働けばいい、という社会を作り出すこともできるのだと考えてみよう。資本主義と社会主義が、魚の群のようにお互いを補完し合いながらなめらかに前進していく世界を想像してみよう。

想像してほしい。

サボり屋もいるだろうし、制度の裏をかいて得をする人もいるだろう。金を横領したり、義務を果たさなかったりする人も。収入を失うこともあるだろうし、国家の敵も出現するだろう。

完璧な世界などないのだ。すくなくとも、ぼくたち人間の世界には。

でもぼくが提案する世界は、完璧なふりはしていない。理想的な世界だと見せかけてはいないのだ。その代わりに、やがて死すべき運命にある人間一人ひとりのしあわせを信じている。社会の重荷を背負わされたり、大企業の利益のためにがんじがらめにされたりすることのない人生。そういうものを信じる世界を思い描いているのだ。

そこにいたる道はまっすぐではないし、すぐに辿り着けるわけでもない。迷子になる者も出てくるだろう。いやむしろ結局のところぼくたちは、みんな迷子なのだ。それでも歩き続けていたらいつの日か、「やっぱり、はるばるここまで旅してきた甲斐があった」としみじみ感じる日が来るだろう。ぼくたち自身にとっても、ぼくたちの仲間にとっても、歩み続けてきてほんとうによかったと感じる日が。

参考文献

欲望、恐怖、抑圧。

この三つによって形づくられる政治的・経済的な〝現実〟に対して、人間はこれまでどういう試みをしてきたのだろう?

それについては、さまざまな考え方がある。

これは、そのほんの一部を教えてくれる本のリストである。

カール・マルクス『資本論』〔向坂逸郎訳、岩波文庫、一九六九年〕
アルベール・カミュ『異邦人』〔窪田啓作訳、新潮文庫、一九六三年〕
アルベール・カミュ『シーシュポスの神話』〔清水徹訳、新潮文庫、一九六九年〕
アダム・スミス『国富論』〔大河内一男訳、中公クラシックス、二〇一〇年。『諸国民の富』の邦題でも知られる〕
ルイス・マンフォード『技術と文明』〔生田勉訳、美術出版社、一九七二年〕

ルイス・マンフォード『歴史の都市　明日の都市』〔生田勉訳、新潮社、一九八五年〕
トマス・モア『ユートピア』〔平井正穂訳、岩波文庫、一九五七年〕
アリストテレス『家政論（経済学）』〔『アリストテレス全集第十七巻　政治学／家政論』、岩波書店、二〇一八年〕
ウィリアム・M・アドラー『決して死ぬことのなかった男――アメリカ労働運動のアイコン、ジョー・ヒルの生涯、時代、そして遺したもの』〔*The Man Who Never Died: The Life, Times, and Legacy of Joe Hill, American Labor Icon*, 2011. 未邦訳〕
フロイト『精神分析入門』〔高橋義孝＋下坂幸三訳、新潮文庫、一九七七年〕

このほか、フランクリン・D・ルーズヴェルト、ヨシフ・スターリン、毛沢東、そしてフィデル・カストロといった〝泥棒男爵〟の伝記を熟読することもおすすめする。現代の労働運動やアナキズム運動について調べるのも役に立つはずだ。

ウォルター・モズリイ

著者インタビュー

自身の奥深くを見つめ直し、
そこで見つけたものを共有していく

これまでに刊行されている、著者ウォルター・モズリイによる政治的なエッセイは、次のとおりである。

『ワーキン・オン・チェインギャング』（*Workin' on the Chain Gang: Shaking Off the Dead Hand of History*, 2000）

『つぎにくるもの——世界平和のための回想録』（*What Next: A Memoir Toward World Peace*, 2003. 邦訳＝『放たれた火炎のあとで——君と話したい戦争・テロ・平和』藤永康政訳、ブルース・インターアクションズ、二〇〇四年）

『文脈からはずれた人生——暴力を使わずに議会を占拠する方法』（*Life Out of Context: Which Includes a Proposal for the Non-violent Takeover of the House of Representatives*, 2006. いくつかの個人的な体験を経てアフリカ系アメリカ人作家として目覚めた著者が、彼ら自身の政党を持たなければならないと訴えかける。この本においても、一般市民にとって重要なのは、専門家と呼ばれる人びとによって与えられる情報や指導から距離を保ちつつ、政治的な現実について議論し合うことであると強調されている）

『政治的啓発にむけての十二ステップ』（*Twelve Steps Toward Political Revelation*, 2011. 支配

階層から力を奪取する〝知的革命〟を起こすために、個々人のできることとはなにか。現状の政治・社会・経済システム以外のシステムは現実的ではない、その意味において現状に不満はない、と思い込まされているわれわれの状態を依存症になぞらえ、そこからの〝回復〟＝〝知的革命〟のために辿るべき十二のステップを具体的に提案する）

『アントピア――人類が自由にしあわせを追求できる社会の見取り図』（本書）

前作とのあいだには五年、そして二〇一六年の本書刊行から二〇二二年現在までのあいだには六年という時間があいている。周知のとおり、そのあいだにはさまざまなことが起こった。後者のほうは特にめまぐるしく、ややもすれば上書きによって個々の記憶が薄れるほどの変化が相次いだ。そこで、その点を踏まえて本書を読み直してみたところ、ここで提案されている社会のあり方は、ますます魅力を強くしているという印象を得るばかりであった。

しかしながら、もし著者の側が必要を感じているのであれば補足を、そして可能であれば日本の読者にとって補助線となるような言葉が欲しいと（訳者は勝手に）考え、いくつか質問を投げかけた。もちろん、本書が終始手放すことのないバランス感覚からある程度の距離を置くかたちで、よりストレートな私見ないし即効性のあるわかりやすい提言めいたものを引き出せないかという下心もあった。

なにしろ、本書が描き出してみせる社会について人に説明すると、たいていの場合に返ってくるのが、「現実的に、そんなことが可能なの？」という、あくまで〝冷静〟な疑問ばかりなのだ。そうした、〝非現実的な理想〟への警戒心に日々触れていると、ついつい性急に〝答え〟を求めてしまいたくもなる。

そういう読者の身にしてみると、返ってきたウォルター・モズリイからの言葉は、想像以上に、そっけないと感じられるものだった。しかしそもそも本書は、まえがきにも記されているとおり、処方箋や設計図ではなく、「対話と思考をはじめる」契機を提供しようと意図されたものだ。著者の粘り強い姿勢に揺るぎはないのだと、一瞬の間をおいて了解された。

そういうわけで蛇足めいたものとはなるが、以下に質疑応答を収録しておく。

＊

――『政治的啓発にむけての十二ステップ』と本書『アントピア』は、補完し合う関係にあるようです。ご自身はどのように定義されていますか？

『アントピア』はより新しい本ですし、より精確な内容になっていることを願っています。とはいえその点を除けば、この二冊のあいだにある最も大きな差異は次のようなことです。『十二ステップ』は、われわれ全員を支配している富に抵抗するための計画を、個々人が思い描いていく手助けとなるように書かれています。一方で『アントピア』は、より理論的な考察です。

――『アントピア』が刊行された二〇一六年から、二〇二二年までのあいだには、さまざまなことが起こりました。そうした変化を踏まえて、補足されたいことはありますか？

この十年の出来事によって、ぼく自身の考えの焦点がぼやけたり、変化を強いられたりしたとは思いません。
とはいえ、過去一〇〇年間ずっと存在し続けてきた問題が、このかんに、ぼくの中でもよりはっきりとしたかたちをなすようにはなりました。つまり、かつては一世紀かけて倍加していた知識というものが、今では一年ごとに倍加していくようになったという事実です。これによって、世代間の不和が拡大しただけではありません。世界各地では、超高速で変化していく政治的な構造に抵抗しようとしている市民がおおぜいいますが、彼らのあいだにすらも亀裂が広がることになったのです。

——本書で特に重要なのは、メディアや政治システムによる〝洗脳〟を払いのけ、自分自身を冷静に見つめなおそう、という呼びかけだと思います。これは言い換えると、経済や政治の仕組みに左右されることなく、自分にとっての〝しあわせ〟を定義し、それを追及するということだと思います。ところがそのためには、必然的に他人と関わらなければなりません。その点が、資本主義的な個人主義に染まった思考法を持つわれわれには、いちばん難しいところであるとも感じます。ご自身は〝しあわせ〟をどのように定義されていますか？

しあわせというのは、一般論として定義するのがきわめて難しい言葉です。子を持ち育てることにしあわせを感じる人もいれば、自分の身体を鍛えることにしあわせを感じる人もいます。つまり、いつでも二種類のしあわせがあると言えるでしょう。一つは、この世で自分が成し遂げたことに、心から満足するというしあわせです。もう一つは、他人のしあわせを理解するというしあわせです。後者においては、だれかのしあわせが——その種類にかかわりなく——他人のしあわせを侵害しすぎているときにだけ、そのしあわせのありかたに批判をくわえることになります。

——新型コロナウイルスのパンデミックでは、公の利益のために個人の利益や自由を抑圧することの是非や、公の利益をだれがどのように定義するのか、といった問題が浮き彫りになりました。これは、コミュニティのありかたを考え直すということでもあると思います。この点については、どのようにお感じですか？

人類のような〃半・社会的〃種族は、お互いにうまくやっていく最善の道をどうにかして見つけ出す必要があります。新型コロナウイルスのパンデミックは、その事実を痛感させるもう一つの例でしかありません。ぼくたちは、ミツバチやアリのように一丸となって働き、一丸となって死ぬわけではない。ぼくたちはいっしょにいなければならないけれど、考えはいつでも揺れ動いています。愛情いっぱいであると同時に、びくびくと怯えながら駆けずり回っているのです。人類はもともとバラバラな存在であって、その中にこそ美しさがある。ぼくたちは、バラバラであるという事実を受け入れながら、同時に人類全体のことを考えられるようにならなければばなりません。

――パンデミックはまた、たとえ専門家であっても、他人の言葉を全面的に信用することはできないという事実をあきらかにしました。同時にわれわれは、さまざまなメディアから大量に流れ込む情報によって、常に〝知らないことを知っている〟という不安な状態に置かれてもいます。だからこそ、より良い社会を作り出すためには、自分の力で粘り強く考え、仲間と議論を続けるほかない、というこの本のメッセージの重要性がますます際立つわけです。しかしそこには、わかりやすい答えに飛びつきたくなるという衝動や、考えるにあたって参照する情報の質をどのように担保するのかという問題がより剝き出しなかたちでつきまとってもいます。その結果として、人びとのあいだの分断が深化することにもなりました。

そこでおうかがいしたいのですが、大量に飛び込んでくる情報に、あなたは日々どのように接していますか？

ぼくたちは、毎日いろいろな人の言葉や発言に接しています。その中でだれが信用できるのか？　現代の生活において最も難しいのは、それを見きわめることです。ぼくたちを、自分の利益のためにコントロールしようとしていないのはだれなのか？　ぼくたちを、自分たちもろとも暗闇の中に閉じ込めようとしていないのはだれなのか？　そして最も重要なのは、一対一で率直に楽しく言葉を交わし合える相手はだれなのか？　といったことを考える必要があります。

――本書でも語られているとおり、今われわれは、社会の仕組みというものは根底から変えられる、ということを信じられない時代に生きています。一方で、たとえば一九六〇年代のように、戦争などの災厄が進行しつつある中で、変化への必要性を多くの人が感じ、それは実現可能であると信じられていた時代もありました。戦争やパンデミック、国際的パワー・バランスの崩壊、といったものによって、今われわれがきわめて不安定な時代に足を踏み入れつつあることは間違いなさそうです。この状況は、社会を大きく変革する契機になり得ると感じますか?

ソーントン・ワイルダー〔一八九七〜一九七五年〕は、『危機一髪』(一九四二年、邦訳=新樹社、水谷八也訳)という戯曲を書いたことがあります。一つの災厄から次の災厄へとよろめきながら進み、どういうわけかいつでもぎりぎりのところで生き延びる。そんな人類の姿を描いた喜劇です。しかし近年、生き延びることは、より易しくもなりましたし、より難しくもなりました。これはジャック・エリュール〔一九一二〜一九九四年。思想家〕が説いたように、科学と技術という双子によってもたらされた状況です。

前述のとおり、科学は、文字どおり過去の一〇〇倍の速度で発達しています。これによって、時間の進む速度も格段にはね上がりました。しばしばぼくたちは、ぼくたち自身までをも取り残したまま前に進んでいってしまうのです。そして技術というのは、発達し続ける科学をぼくたちの中に植え付け、ビジネスの望む通りに行動する働きバチのような存在に変えていくためのものです。ぼくたちは急速な変化の影響を受けているわけですが、そのほとんどは無意識の次元で進行しているのです。そこで必要になるのが、ぼくたち自身の奥深くを見つめ直し、そこで見つけたものを共有していくということです。

——資本主義は、パンデミックのような危機的状況においても、いつもの柔軟さを発揮し、そこから利益を獲得する仕組みを早々と構築していきました。従来の資本主義の仕組みを保持することはできないと気づいていたいわゆる支配階層が、さらに巧緻な仕組みを再建する過程を、むしろ加速させたようにすら感じられます。この点についてはどうお感じですか？

資本主義という名の強大な悪霊といえども、科学と技術のもたらす潜在的な害悪と連動しながら進化しています。初期の資本家たちが現状を見たら、恐怖にちぢみ上がるはずです。なにしろ現代社会において、自分の才覚だけで事業をはじめようとする人たちは、ほとんど無制限に政治と司法を操る巨大なビジネスによって駆逐されてしまうという仕組みができあがっているわけですから。この深遠な人工知能にも似た巨大システムをどうしたら打ち倒せるのでしょうか。それはぼくにもわかりません。ただ、そのために力を尽くさなければならないことだけはあきらかです。

――本書では、資本主義の枠内で改革を進めることから手をつけよう、という穏当な革命のありかたが提案されています。他方で同時代には、より過激な主張を展開する運動もあります。これについてはどうお感じですか？

暴力を伴う革命については、おそれる気持ちを抱いています。なぜなら暴力革命はいつでも、勝者と敗者、両方の側の欲望を剝き出しにさせてしまうように見えるからです。ぼくたちを最も原始的な存在へと変貌させ、結局のところはさらに大きな力を備えた経済的な獣に変身させるという結果をもたらすように思うのです。

自分が誤っているという可能性を自覚したうえで言わせてもらいますが、ほんものの知識と尊敬の気持ちこそが、ぼくたちの進むべき最善の道だと信じています。

（質問・構成＝品川亮）

解説

同化を拒みつつ、別の世界を考える

ウォルター・モズリイについて

酒井隆史

1……………ブラック・ノワールとはこの世界の現実そのものである

〝アフリカ系アメリカ人男性作家〟ウォルター・モズリイ

わたしはアメリカ合衆国の専門家でも、ましてや黒人問題での専門家でもなく、むしろひとりの黒人音楽愛好家として、それをひとつの思想性として考えたり、かれらの歴史や現在を近現代社会の認識のバネとしてみたりしているだけです。そして、それとは少し別のところで、ハードボイルドとかノワールものといわれる文学や映画を好んでいますが、とはいえ、ウォルター・モズリイについてわたしがどれほど語れるのか、そもそも語る資格があるのか、という自問も抑えられません。しかし、請われるままに、それこそ、なしくずしに追い込まれ、事件に巻き込まれるイージー・ローリンズのように、読者へのいささかの補助線になればと、おずおずと、お話をはじめたいとおもいます。

史上初の黒人探偵小説は、一九三二年に刊行されたルドルフ・フィッシャー（一八九七〜一九三四年）の『呪術師は死ぬ（*The Conjure-Man Dies*）』というタイトルのものであるといわれています。ハーレム・ルネサンスのただなかで、ハーレムを舞台にして登場人物もすべて黒人という設定で展開しているようです（申しわけありませんん、未読なのです）。

しかし、ふつうハードボイルドの伝統を黒人探偵小説に導入した最初の人物はチェスター・ハイムズ（一九〇九～八四年）とされています。ハイムズは日本でも比較的翻訳があります。かれについても、全体像をふまえて語る知識をわたしはもってはいませんが、かれの作品はぜひお読みいただきたい。ぶっとんでいるんです。大学にいきながらチンピラになり、それから強盗して刑務所入り、そこで文学をはじめ、出所してなにもうまくいかずヨーロッパに逃亡、そしてその地で犯罪小説家として活躍する、といった経歴もきわめて興味ぶかいものがあります。

そのかれが、いわば「ブラック・ノワール」のひな形を形成したというのは、かれのこの路線の第一作『イマベルへの愛』（尾坂力訳、早川書房、一九七一年）が、そもそもヨーロッパに逃亡中に「セリ・ノワール叢書」の監修者であるマルセル・デュアメル（一九〇〇～七七年）に請われて書いた作品である、という事実が象徴しています。「セリ・ノワール叢書」というのは、ハードボイルドやダークな都市の犯罪小説、あるいは第二次大戦を前後してあらわれるそうした世界をベースとしたハリウッド映画の一群を、「ノワール」と呼ぶきっかけとなったシリーズのことです。この作品は「異常な傑作」と称賛されたようですが、実際に、傑作中の傑作であるとおもいます。

実直で敬虔なつもりの小心な男が金銭がらみで窮地に立たされ、職場から霊柩車を盗みだし、女と金を探しにいくが、あれこれの不運な出来事のあげくに警察に追われ、首のとれかかった兄貴の死体といっしょに霊柩車でハーレムの街を爆走する、という作品です。墓掘りジョーンズと棺桶エドという二人の黒人刑事にも、いわゆる近代的個性とはちがう、独特の匿名性とエキセントリシティが人物観のうちにあるのですが、ひとまず本作の主役です。しかし、主役の「ディテクティヴ（刑事であれ探偵であれ）」の捜査とともに物語が進行するのとはちがい、ハーレムの奇天烈な面々と慣習や出来事に主要な焦点が当てられていて、刑事たちはときどき舞台回しに登場するといったところです。ハイムズのハーレムは、ブルースからヒップホップにいたるまで通底する、人間の強いられた真剣さの衝突が、滑稽さと不条理をそこここに生成していく、「悲しくもおかしい」（ラングストン・ヒューズ）世界です。ハイムズ的なハーレムにおける「探偵物語」の伝統を、ポストモダンなメタ文学に料理した有名な作品にイシュメール・リード（一九三八年〜）の『マンボ・ジャンボ』（上岡伸雄訳、国書刊行会、一九九七年）がありますが、ここではハイムズと比較すると、一九九〇年にデビューしたウォルター・モズリイは、コンピューター・プログラマーから作家の道へと転身した、より現代的キャリアをもっています。かれの作品はとても多く、また翻訳もそれなりにあるとはいえ、その膨大なビブリオグラフィーのかなりが日本語では手つかずのままです。それでも、かれの作品では出世作でもあるイージー・ローリンズものが有名であり、かつ翻訳もまだあって比較的アクセスしやすい状況にあります。

ローリンズが徘徊するのはハーレムではなく、ロスのワッツやサウスセントラル附近です。ヒップホップの好きなひとなら、すぐにピンとくるでしょう。サウスセントラルといえば、ニューヨークでは、かつてはハーレム、いまではサウスブロンクスとかブルックリンのベッドフォード・スタイヴェサントなどに該当する最貧困街とされているような場所です。ローリンズは、あのレイモンド・チャンドラー（一八八八〜一九五九年）のいう「いやしい街路を歩く、いやしくもなければ、汚れてもいない、臆してもいない」という私立探偵像、フィリップ・マーロウのような探偵像とはかなり異なっています。ローリンズもまた「いやしい街路」を徘徊していますかれは「いやしくない」人間たらんとはしていますし、並外れて勇敢ではありますが、知人や友人の妻や恋人とすぐに恋仲になって（というか〝ヤッて〟）しまいますし、いやいやながらもいつも犯罪に手を染めますし、警察にはいつもおびえています。もちろん、モズリイの作品にはマーロウ・タイプにより近い「ディテクティヴ」が配されることもありますが。要するにアメリカ黒人には、チャンドラー型の孤独な都市の騎士といったふるまいそのものが選択できないのです。

また、ハイムズの刑事も二人組でしたし、ローリンズもたいてい相棒なしには事件を解決できません。その相棒はマウスといって、こともなげに殺しをやってのける冷酷非道な男です。ちなみにTVドラマ史に残る傑作とされる『THE WIRE／ザ・ワイヤー』（合衆国での放映は二〇〇二〜〇八年）という、フィラデルフィアを舞台にした作品があります。あそこにはオマール・リトルという、やはり冷酷非道なゲイのギャングがあらわれますよね。回を重ねるごとにほとんど神話的人物に昇格していくあのオマール・リトルは、このドラマの中でももっとも魅力的で、その残酷さのなかに、（世間様には通用しない）一貫したモラルと正義感、そして奇妙な愛情をもっていました。アメリカ黒人の文学世界には、そうした愛情と冷酷さ、残酷さと実直さの配分のおかしいひとがたくさんでてくるんですよね。マウスはこのオマール・リトルを彷彿とさせますが、アメリカの黒人社会の物語にはいつもおもしろおかしく語り継がれ記憶されるかたちで存在するタイプなのではないか、という印象をもちます。

それはともかく、オマール・リトルもそうですが、かれらはマーロウみたいに孤独じゃないんですよね。どれほど孤独で孤立した人物であるにせよ、かれらには、いつも集団性の成分があります。それが白人のノワール世界とは異質な点であるようにおもいます。

またローリンズは、職業探偵ではありません。おそらく、この時代にそんなものは不可能であるということでもあるとおもいます。かれはときにアパート所有者として事業家的意欲をみせないこともないのですが、基本的に実直な労働者たらんとしています。ところが、いつも「トラブルに巻き込まれ」、いやいやながら、とはいえなぜかみずからことをややこしくして、命からがら事件を解決するのです。

もちろん、こうしたハードボイルドないしノワール文学そのもののモチーフは、かれらの状況にふさわしいものであるし、だから、それがかれらの世界をえがくのにきわめて性能のよいツールであるようにもみえます。

たとえば、ハードボイルドないしノワールものというジャンルは、たいてい資本主義的近代の周縁で起きる、モラルをめぐるドラマであることです。

このジャンルの創設者であるダシール・ハメット（一八九四～一九六一年）以来、ハードボイルドは、既成のシステムに対していくぶんか根源から対立する要素を宿してきました。それがダシール・ハメットや多くのノワール映画のように左翼政治として表現されるか、ミッキー・スピレイン（一九一八～〇六年。代表作に「私立探偵マイク・ハマー」シリーズなど）や、とりわけジェイムズ・エルロイ（一九四八年～）のように右翼政治として表現されるかはべつですが、しかしそこには基本的に、司法警察機構が、ひいてはこの社会そのものが、民主主義的に運営されている公平なシステムであるという幻想はありません。

これもチャンドラーいうところの「殺人リアリズム」によるならば、その世界は、ギャングが都市を支配し、ホテルや一流レストランの経営をおこなっているブルジョア経営者が、違法売春であがった資金を事業の元手にしていたり、銀幕スターが誘拐団の情報屋であったり、市政の有力者が賭博の元締めであったりする、そんな裏世界と表世界がメビウスの輪のように連続している世界です。そして基本線は、警察は市民ではなく資本家と政治家のために奉仕している世界です。したがって、フィリップ・マーロウが警察と微妙な距離を維持しているように、あるいは『探偵物語』（一九七九年〜八〇年）で、松田優作（私立探偵の工藤俊作）と成田三樹夫（服部刑事）たちとの一見冗談まみれの関係のなかに、即座に暴力に転化する緊張関係が維持されていたように、基本的にハードボイルドの主役たちは警察機構を信じていませんし、反感をもっています。

ハイムズの作品では、主役のふたりが刑事であるということもあり、警察機構は腐敗していますがそれなりに機能しています。というより、警察機構はあえて後景に退かせ、焦点化が避けられている印象です。他方、モズリイの世界では、とことん差別的であり、とことん腐敗しています。誇り高いフィリップ・マーロウは、しばしば足蹴にされながらも、警察とは対等な関係であるというみせかけを維持していましたが、ローリンズにおいては、そのような関係性への幻想はみじんもありません。かれにとって警察は、ひたすら白人支配階級に奉仕するものであり、すきあらばじぶんを捕らえて刑務所送りにする、あるいは撃ち殺すことすら苦もなくやってのけるであろう存在であり、接触そのものが危険なのです。ここまであからさまな警察リアリズム、アンチポリスの姿勢は、おそらく一九七〇年代以降に開かれた地平であるようにおもわれ、むしろヒップホップ文化とも共鳴しているようにおもわれますし、「#BlackLivesMatter」のような運動の起きてくる基盤をなしているようにおもいます。

　モズリイにおいては、そして一般に黒人の作家においては、こうしたノワール文学があえて周縁にむかうことで社会のネガとして、つまり裏面として表現されるような世界が、世界そのものになります。つまり、ブラック・ノワール作品は、ノワールもののあられもない真実として機能しているのです。アフリカ系アメリカ人によるノワール世界は、例外的世界ではなく、この世界そのものなのであり、かれらの生きる現実なのです。

　もうひとつ、こうしたいわばブラック・ノワール世界のふくらみということで、モズリイと同時期にミステリーのジャンルでデビューし、しばしば並べて語られるバーバラ・ニーリイ（一九四一～二〇二〇年。邦訳『怯える屋敷』『ゆがんだ浜辺』など。早川書房）も紹介しておきたいとおもいます。モズリイはもちろん、現代の男性作家らしくフェミニズムも意識しており、女性差別の問題に配慮していることはわかりますが、やはり、黒人男性に意識的に問いを集中しています。黒人男性の「厄介なアイデンティティ」は、いつも黒人男性知識人あるいはアーティストたちの深刻な課題であったし、ありつづけているようです。しかし#BLMの創始者たちが女性であり、かつ性的マイノリティだったことは、黒人コミュニティやかれらの運動のなかで、女性差別や性的マイノリティ差別を克服しようとする動きが強いことを示唆しています。また、おそらくそこからは、あとでふれたい「黒人のラディカルな伝統」の基盤的次元が抑圧されることなく浮上してきたという印象もうけます。

モズリイとバーバラ・ニーリィについて、「モズリイの主人公は、コミュニティを離脱したがっているがいつもそこに帰ってくる。ニーリイの主人公は、コミュニティにとどまりたがっているがいつも白人世界に帰ってくる」と巧みに比較したひとがいます。ニーリーはモズリイに比較すると寡作ですが、「ブランシュ・ホワイト」もの（翻訳すれば「白・白」となり、「ブラック・ノワール」を反転させたこの名前自体が痛烈な皮肉です）という傑作シリーズをうみだしました。ニーリイの主人公の女性は、都市を徘徊する労働者男性ではなく、たいてい白人上流家庭で働くことになる家政婦です。まさに「家政婦は知っている」（松本清張）のです。つまり、家政婦はだれよりも主人の家庭の秘密を知っており、主人の家庭の人間の心の動きも察知しています。主人たちは、だれも彼女の名前すらおぼえないのに――ただし彼女の名前は強烈なので、レイシズムまじりのからかいの対象になります。

ここでは、差別や階級、性差の上下関係（ヒエラルキー）がうむ「解釈労働」の不均等な配分をふまえ、その構造を十全に活用するかたちでミステリーが展開しています。「解釈労働」とは、相手がなにを考えているのか、なにを望んでいるのかを、言葉や身ぶりなどから判断する作業のことですが、いつもヒエラルキーの下位の人間が、上位の人間の解釈労働の負担を強いられるわけです。また、本作の主人公はいつも問題の解決にあたって、黒人女性たちのネットワーク――噂が好きでなんにでも首をつっこみたがる情報収集ネットワークを総動員します。「I heard it through the grapevine」ですね！　これは「噂で聞いた」という意味で、一九六八年のマーヴィン・ゲイのヒット曲「悲しいうわさ」の原題でもあります。

もちろん、ミステリーでいえばアガサ・クリスティの「ミス・マープル・シリーズ」にも、こうした女性の強いられた「解釈労働」がひらく情報ネットワークが作動させられています。ただニーリーの作品では、このヒエラルキーのうむ心理的動きや葛藤が、たんなる日常の悪意を帯びた洞察以上の意味を帯びます。そして、白人世界との心理的分断は、人種的境界を越境する愛憎を超えて、政治性をともなったモラルとして、維持すべき一線となってあらわれます。男性中心のノワールものにはとても描けない（より基盤的であるような）世界でしょう。モズリイの世界とニーリィの世界はいわば補い合う関係にあります。

2……このシステムだけが民主主義ではない

〝ブラック・ラディカリズム〟の文脈から本書を読む

本書『アントピア』は、もちろんこれ単体で理解できるようにやさしく書かれています。しかし、それ自体でひとつの完結した提言にしたいという意図が強く、こうした提言をするモズリイがなにを問題とおもい、なにをどうしたいからこういうものを書くのか、といった、おそらく英語圏での読者なら了解ずみの地平がみえなくなる可能性があります。そしてそうなると、この本がいささか平板なものにみえてしまうような気もします。すごく簡単にいうと、この本は、かれがこれまで分散的になしてきた提言を整理したという性格もあるのでしょうか。あるいは読者層や標的がそれまでとすこしちがうこともあるのでしょうか。やや過剰に「バランスをとろう」と努めているようにみえます。それが、モズリイの、より根源へとむかおうとする姿勢を、とりわけ日本語環境ではみえにくくさせるような印象も受けるのです。

　モズリイの黒人作家、黒人知識人としての本領があらわれるのは、しかし、わたしにはこうした「バランス」を、それ自体が幻想であるとふりきるところにあるようにおもわれます。つまり、モズリイそのひとから、「ブラックであること」とは、そうした「バランス」を解体させることに等しい、ということを学ぶことができるようにおもうのです。そうした動態は、それまでのモズリイの政治的コメント集とあわせて読むと、その意義がより浮き彫りになるし、字面のわかりやすさの底でそれを駆動しているパワーのようなものがみえてきます。これもあとでふれますが、なぜそう考えるのかというと、これまでのかれの政治的エッセイの主題は、つねに

「人種資本主義（racial capitalism）」にむけられてきたからです。つまりたんなる「資本主義」でも、ましてや「社会主義」でもありません。「人種資本主義」なのです。

この概念は、もしかすると♯BLMの運動などに関心をもって、活動家や知識人たちの発言にあたっているひとたちにとっては知られているかもしれませんが、おそらく多くのひとの耳には新しいのではないかとおもいます。これもあまり深入りする余裕はないので簡単にいうと、この資本主義というシステムはその根源にレイシズムを内在させ、そのかぎりで成立したし、発展してきたのだ、というものです。資本主義は、たまたまレイシズムという「遅れた偏見」によって毒されたわけではありません。近代における奴隷制の復活のような出来事はたまたまのもので、資本主義そのものとは関係なく、レイシズムなしの資本主義が存在しうる――こういった考えを転覆するものです。そしてそれだけが、現在にいたるまでのレイシズムのしつこい「残存」を説明できるというわけです。

これはセドリック・ロビンソン（一九四〇～二〇一六年）というアフリカ系アメリカ人の研究者――いまもっとも読まれ参照されている黒人知識人――の提唱した概念です。これも耳にしたことのあるかたが多いかもしれませんが、

「黒人のラディカルな伝統（ブラック・ラディカル・トラディション）」という概念も、かれから由来したものです。近代史において、黒人のラディカルな伝統が脈々と存在して、近代社会が自閉しそうなときはいつも、つまりこの近代の社会システムが唯一の地平として君臨しそうなときにはいつも介入して、そのフレームを根源から知的・実践的に揺さぶってきた、とするものです。モズリイも、この伝統のうちにあるのはあきらかであるようにおもわれます。

二〇〇〇年に、モズリイの最初のエッセイが公刊されていますが、日本語にも訳されている『放たれた火炎のあとで――君と話したい戦争・テロ・平和』（邦訳＝藤永康政訳、ブルース・インターアクションズ、二〇〇四年）が手に取りやすいし、とてもよいとおもいます。これは二〇〇一年の同時多発テロのあとに書かれたものであり、自伝的記述も豊富にあって、かれが本書を書く動機のようなもの、より大きなかれのヴィジョンのようなものもみえてきます。

この本のタイトル（原題 *What Next: A Memoir Toward World Peace*）はおそらく、戦後を代表する黒人作家であるジェイムズ・ボールドウィン（一九二四～八七年）の著名なエッセイ集『次は火だ』（*The Fire Next Time*）を意識しているようにおもわれます（右の訳書のタイトルもそれを意識しているようです)。ボールドウィンのこのエッセイ集は、公民権運動が最高潮の時代、一九六三年に公刊されていますが、聖書からとられたこのタイトルは、アメリカ社会で爆発寸前になっている黒人コミュニティの心性を表現したものでもありました。そして実際、その二年後の一九六五年、公民権法と投票権法の二つの形式的成果の直後にロスで爆発した暴動が起き、そのあたりから、十年単位での「長い暑い夏」に突入します。そして、第二次大戦後からはじまったイージー・ローリンズの物語は、いったんこのワッツ暴動の時期に終わります。モズリイはなぜそうなのかの理由として、ワッツ暴動がローリンズのような人種意識を過去のものにしたから、としています。もはや黒人社会の意識も、関係性も世界観も、べつのフェーズに移行した、と(そのあと、現在では一九六八年まで書かれていますが)。

この本を読むと、かれが父親から受けた強い影響がわかります。この父親はイージー・ローリンズのモデルともなります。イージー・ローリンズ・シリーズが、二十世紀の黒人による南部から北部への「大移動」を文脈としていて、その点をふまえておくことが重要であるように、この本でも、彼の父親は南部から都市へとでてきて、そこであらゆる差別と格闘しながら、実直に人生を歩んできた人物であり、モズリイはこの父親から多くを学んでいます。

とくに印象的なのは、このワッツ暴動をテレビでみている父親とのやりとりの場面です。父親は、ワッツ暴動を報道するテレビをみながら、涙を流しているのです。父親は、いまにも駆けつけたいと、かれにいいます。

「いま俺はショットガンをもって外に飛び出し、そこの黒人たちと一緒になって闘いたいんだ。俺だって暴れたいんだよ。これまでずいぶんとひどい目ばかりみてきたんだから、その仕返しを思う存分してやりたいんだ」

それに対してウォルター少年は、お父さんはいかないのか、とたずねます。長い沈黙のあと、父親はこういいます。これは本当の闘いではない。みんな集まったものだから大きな気分になっているが、結局、じぶんの商店やコミュニティを破壊しているだけだ。じぶんたちが数では圧倒的な場所にいるが、殺されているのはほとんどが黒人だ。だから怒り狂うのは当然だ、でも焼き払っているのはじぶんたちの商店だ、一緒に暴れたいがそれは賢いやりかたではない、と。こう、みずからを納得させるように語っています。

この複雑な感覚は大事だとおもいます。あとですこしふれたいとおもいますが、現代の日本でもっとも理解しがたくなっているのは、暴動のような現象に対してその主体である人びとがもつ、こうした複雑な感覚だとおもいます。しかし、この感覚こそ、この割り切れない感覚こそ、現代にいたる世界のさまざまな現象――文学テキストもふくめ――を理解するときに、なによりも大切なものだとおもいます。

さて、この本のなかにつぎのような一節があります。

わたしたちアフリカン・アメリカンはよく知っている、揺りかごから墓場まで毎日毎日ごまかされ続けると、どんなに辛いかを。わたしたちはわかっている。メディアや警察、さらには自分の国の政府までもが嘘っぱちだらけのプロパガンダを流し続けていることも。わたしたちはよく知っている。平等やフェア・プレイといった概念も、資本制の原理にしたがってコントロールされているものにすぎないと。なぜならば、数世紀にわたって、黒人がもらって当然の分け前を受け取りに店にいくと、いつも決まってこういわれ続けてきたからだ――「いまは商品を切らしていてね、また来てくれ」。はたまた「品不足が続いているんで、生産が間に合うまで待ってくれ」と。

最近、「ポスト・トゥルース」とか「フェイク・ニュース」といった言葉がはやりました。しかし、かれらからすればそれはナイーブな話です（実際、そう批判されていました）。というのも、それはドナルド・トランプ元大統領のような人間があらわれてはじめて生まれたわけではなく、このレイシスト社会、この資本主義社会そのものがそうなんですから。

だからかれらは、トランプさえ変われば、よりリベラルな政権になれば、事態は変わるといった認識に与することはありません。このシステムは唯一の民主主義であり、人びとがだれにどの政党に投票するかだけが、意識を変えることだけが大事だ、という発想にもなりません。このシステムで、われわれが代表されているとはおもえない。したがってこれが民主主義であるとはおもえない。このように、つねに問いを発することをやめません。たとえば、本書より前に刊行された政治的エッセイ集 *Twelve Steps Toward Political Revelation*〔『政治的啓発にむけての十二ステップ』〕で、かれはこう述べています。

アメリカは民主主義国家だ、なぜなら国民に投票権があるからだ、とよくいわれる。わたしは、「かつてのソ連でも人びとは投票していたよ、で、民主主義国家だったか？」と応答する。もし、わたしたちが投票に一致して意義をみいだせず、いわゆる政党政治によって真の選択から排除されているとしたら、どうしてわたしたちは民主主義のもとにあるといえるのだろうか？　何百万ドルものお金が真実よりも大きな影響力をもっているとして、どうして心から民主主義が機能しているといえるだろうか？

「黒人のラディカルな伝統」の基礎をなしているのは、こうした意識、つまり順応を拒む、「同化を拒む」意識であるようにおもいます。

同化しない、ということは、かれらの発想が国家あるいは国民（ネーション）からはみでていくということでもあります。これも「黒人のラディカルな伝統」のひとつの要素をなしています。かれらのうちには、たとえば二十世紀の偉大な黒人詩人ラングストン・ヒューズ（一九〇二〜六七年）が「アメリカをアメリカにしよう」という詩でいったように、あるいはマーティン・ルーサー・キング（一九二九〜六八年）が「わたしには夢がある」の演説でいったように、「約束の履行」をもとめる伝統があります。つまり、アメリカの建国の約束——この国では、ひとは生まれつき平等であり、万人が等しく権利をわかちあうという約束——を履行させようとする伝統があります。このような建国の理念にひそむ普遍主義、レイシズムとは反するはずの普遍主義をしつこくはげしく現実とぶつけ、現実を変革していく、その一画を黒人たちは担ってきました。モズリイもそれはおなじです。かれの議論の一端には、いつもこの「約束の履行」の伝統が共鳴しています。

そしてもうひとつ、かれらのこのような二重のありよう、アメリカ人でありながら同時に大西洋に拡散したアフリカ系の末裔であるというありよう（これはデュボイスのいう有名な黒人の「二重意識」とも関係しています）が、ナショナリズムに抗する火種となり、しばしば独特の国際主義としてあらわれることも指摘しておきたいとおもいます。

この点をもっとも端的に表現しているのが、あの有名なマルコムXの言葉です。すなわち「コンゴのことを心配する前にミシシッピーの問題を片づけてしまうべきだと考えているかぎり、ミシシッピーの問題を解決することはできない」という一節です。あるいはもっと「ストリート的」表現を引用するなら、モハメド・アリ(一九四二〜二〇一六年)の、あの「おれはベトコンにはなんの恨みもない」です。モズリイもこの伝統のなかにあるのはあきらかで、それは本書もふくめそこここに表現されているでしょう。たとえば以下のような箇所です(八七頁)。

世界のどこにいるだれであろうと関係ない。権利を奪われた人がいれば、その人はぼくの戦友だ。ベネズエラやデトロイト、ポルトープランス、チャド、モスクワ、北京、ワシントンDCで苦しんでいる人がいたら、援助の手を差しのべるのがぼくの義務だ。ぼくの仲間である世界市民のだれかが、どこかの政府や企業、あるいは軍閥の首領やカリスマあふれる誇大妄想狂の手によって権利を奪われているのなら、ぼくには抗議の声をあげる義務がある。

そしてその伝統は#BLMのような新世代の活動家たちが、つねにアメリカ合衆国の内部に問題が閉じることを拒絶して、世界規模のうちにみずからの直面する問題を位置づけ、さらに運動の国際的連帯を指向しようとする姿勢にまで継承されています。

とはいえ、もしこうした伝統のなかに具体的に重ねられる要素をひとつあげるとするなら、この『アントピア』もふくめて、モズリイの一連の政治的エッセイが「アボリション・デモクラシー」の系譜に属するのはあきらかだとおもいます。

耳慣れないかもしれませんが、「アボリション・デモクラシー」とは、もともと二十世紀の代表的なアフリカ系アメリカ人知識人であるW・E・B・デュボイス（一八六八〜一九六三年）が、『アメリカにおける黒人再建（*Black Reconstruction in America*）』という重要な本のなかで提起した造語です（これほど大事な文献でありながら残念ながら翻訳はありません。しかしかれの主著である『黒人のたましい』（木島始＋鮫島重俊＋黄虎秀訳）は岩波文庫から入手しやすいかたちで公刊されています）。

「abolition」とは、なにごとかを撤廃する、廃絶する、根絶するといった、「全廃」というニュアンスがあります。アメリカ史の文脈だと、アボリションとは、まず奴隷の解放と奴隷制撤廃のことを意味しています。したがって、ふつう「奴隷制廃絶（奴隷制廃止）」と訳されています。となるとアボリショニストは、「奴隷制廃絶論者

（奴隷制廃止論者）」です。

でも、もしかすると、#BLMの文脈で「アボリショニズム」「アボリショニスト」という概念を耳にしたことがあるひとも多いかもしれません。「アボリション」は、現在にも生きた概念なのです。もちろん、奴隷制はすでに廃絶されていますから、この概念はべつの制度、たとえば刑務所や警察機構に適用されています。そこで要求されているのは、こうした制度の撤廃、すくなくとも根源的な変革です。

なぜこうした現在の要求にも「アボリション」という語彙が使用されているのでしょうか。もちろん、かれらはみずからの要求に奴隷制廃絶の歴史を重ねているのであり、奴隷制廃絶を長期的プロジェクトとみなし、その長い道のりのうちに現在の要求を位置づけているのです。そしてこのような語彙の用法は、もとをたどればデュボイスにさかのぼります。

じゃあ、デュボイスはそこでなにをいっていたのか。もともと「リコンストラクション」とは、奴隷解放宣言（一八六二、六三年）と一八六七年の再建法（南部諸州に対して連邦軍の駐留と黒人参政権の承認などをさせるもの）から、連邦軍が撤退し、それが挫折する一八七七年までのことを指します。南部再建のプロセスは、発端から南部白人の猛烈な抵抗や反撃にあい、遅々としてすすまず、「動産奴隷制」の形式的廃絶以外に実質的な成果がほとんどえられませんでした。それどころか、かれらは選挙権を奪われ、教育機会を奪われ、アパルトヘイト政策によって隔離され、しばしば奴隷制の時代より劣悪といわれる小作制度のもとに留めおかれました。そして、どこにいくにもリンチ殺人の恐怖にさらされていました。それが変化をはじめるのが、それこそイージー・ローリンズ・シリーズの発端あたり、公民権運動の時代からです。だから、この公民権運動からブラック・パワーの時代を、「セカンド・リコンストラクション」ともいいます。

デュボイスは、奴隷制廃絶が意味をもつためには、たんに奴隷制を根絶する以上のものが必要である、としました。暴力による強制労働に終止符を打つだけでは、本当に奴隷制を廃絶したことにはならない、と。奴隷制の刻印を深く刻み込まれた制度や思想が、かつて奴隷であった人びとをも包摂している以上、すべての構成員にとって異なる未来を可能にするような、あたらしいデモクラシーの形態の創造が必要です。動産奴隷制の廃絶が否定的／形式的な次元にとどまるとすれば、より積極的／実質的なあたらしいシステムの構築が必要なのです。それがデュボイスにとって、奴隷制の廃絶の完成を意味していました。かれのいう「アボリション・デモクラシー」です。そしてこの「アボリション・デモクラシー」の概念は、のちにアンジェラ・デイヴィス（一九四四年〜）のように、同時代のレイシズム体制——刑務所のような司法機構に焦点化される——を奴隷制の遺産とみなし、このデュボイスの構想を継承しようとする、ブラック・パワー以降の後続の世代によって復活します。

デュボイスは奴隷制の遺産を一掃するデモクラシーの創造が、資本主義体制と相容れるとは考えていませんでした。「民主主義と資本主義とは別物であるということをいいたかった」と述懐する一作目の政治的エッセイ *Workin' on the Chain Gang: Shaking Off the Dead Hand of History*, 2000.（『鎖につながれて——歴史の死の手をふりほどく』）でのモズリイの政治的発言の出発点も、この考えです。この意味で、モズリイの「アントピア」の提唱も、この「アボリション・デモクラシー」の継承とその現代化のひとつの努力とみなすこともできるとおもいます。

3 この社会とは異なる社会のありようを積み上げる

本書の提言が持つ意義

モズリイは、大学院で政治哲学を学んだとはいえ、研究をつきつめているわけではないし、近年のそうした知的動向をふまえたうえで、学術的論文を書こうとしているわけでもありません。ある種の「アマチュア」として、アフリカ系アメリカ人の知識人として、発言をしているのです。

そのため、いまの議論の水準からすると物足りないところはあります。たとえば、「資本主義」と「社会主義」がいつも並べられ、両者ともに無効とするというのが本書の一貫した論法です。しかし、ここでの「社会主義」が、いったいいつの話かとおもわせる古い社会主義認識です。たとえば、中国がこうした社会主義かといえば、おそらく現在の一般的認識は「国家資本主義」「権威主義的資本主義」といったものでしょう。モズリイのいうような、自由と引き換えに安定が手に入る社会とはほど遠く、資本主義的利益衝動によって社会が支配されているのが中国です。あるいはキューバや朝鮮民主主義人民共和国のような、数少ないこうした理念に該当するかなとおぼしき社会主義を標榜する国家もありますが、それら自体、社会のありようは大幅に異なるし、ましてやそうした体制をめざす政党が力をもっている国はほぼないでしょう。働かないことが犯罪とみなされるというのも、国家によるがちがちの管理統制というのも、現代のとりわけ若い世代のあいだで拡がっている「民主社会主義」の試行とは相容れません。かれは本書でも、運動のなかでのアナキズムの展開も参考にしてくれ、といっていますし、社会主義の潮流が複数あることもあきらかに知っています。しかし、そうした現代の動向や歴史からなにかを汲み取ることは、すくなくとも表向きではしていません。

また、「資本主義」も「社会主義」も、ユートピア的思想の欠陥の表現であるとしている点も、気になります。哲学者のジル・ドゥルーズ（一九二五～九五年）たちもしばしば指摘していましたが、ユートピア思想というものは両義的、つまり、抑圧的にも解放的にもなりうるのです。そして、その両義性を忘れてはならないのは、いわゆるかつて実在した社会主義、「現存社会主義」体制が、あらゆるユートピア的思想、そしてその実践を禁じた社会でもあったからです。現在そのものを理想的なものとしなければならぬという思考で統治されたその社会は、本来、「ここにはない場所」であるユートピアの観念、そして人間の精神の動態からすると、ユートピア的衝動とは真逆です（また、ここでのモズリイの提案は、ユートピア的衝動の産物以外のものではないということもいえるでしょう）。しかし、それはいっぽうで、ショッピングモールがいわばユートピア的宇宙の表現でもあるような現代資本主義のありようをみれば、リアリティがあります（「批判」すらも忌避しはじめている、日本社会ではなおさらです）。

さらに、官僚主義が社会主義とのみ重ねられて語られているのも、国家（官僚制）と市場を対立させるネオリベラリズムの字義通りの言い分に、あまりにのっかりすぎているような印象も受けます。資本主義が凱歌をあげたポスト冷戦以来、ネオリベラリズムの看板とは裏腹に、官僚主義の深化というか、官僚主義による社会の全面的支配には深刻なものがあります。これは、モズリイのいつもの筆致にはあまりみられない、現代アメリカの「通念」へのよりかかりです。これも、人種資本主義ではなく、通念としての「資本主義」「社会主義」を論じ、より一般論的な提言にしようとしたことの代償ではないかともおもえます。

おそらく、アメリカ社会のなかでかれが受けてきた批判、つまり、社会主義者ではないか（なんといっても公的健康保険制度を提案しただけでも社会主義者と呼ばれるのですから）、あるいはマルクス主義者ではないか、との嫌疑を払いのけながら、ポスト資本主義を展望するための、ひとつの戦略（マヌーヴァー）なのであり、そのための犠牲なのでしょう。ポスト資本主義というためには、それと等しい重量で、それがいわゆる「社会主義」ではないこともいわなければならないのです（とはいえ、いまアメリカの若い世代の半数以上が、資本主義よりは社会主義のほうが望ましいとする世論調査もあるので、風向きは変わったといっていいとおもいます）。

しかし他方で、もちろんその利得もあります。実はかれの資本主義認識は、当初よりマルクスの影響を強く受けています。アメリカ黒人たちは、かれらの苦境を解明する道具としてマルクスを活用してきました。政治的実践としては複雑な関係をもっています。マルクス派へと転身したデュボイス、先ほどあげたボールドウィンから偉大なる作家リチャード・ライト（一九〇八〜六〇年）、そしてチェスター・ハイムズなどなど、一群の黒人作家・知識人たちはアメリカのコミュニストの運動と複雑な関係をもち、それ自体、アメリカ二十世紀政治史のひとつの重要項目を形成しています。

しかし、ブラック・パンサーにいたるまで、かれらの態度は教条主義からは、ほど遠いものでした。それによって、かれらはたいていスターリン主義的なものであれトロツキズム的なものであれ、アメリカのコミュニズム運動とはいずれ訣別していきます。かれらにとって、マルクスのテキストは祭壇に祭り上げる聖典ではなく、みずからの苦境を解明し、解放に寄与するための道具のひとつだったからです。

モズリイの態度にも、そうした伝統がかいまみえます。だれにでもわかるように書かれたかれの資本主義の分析は、こうしたマルクスの活用のお手本だとおもいます。なぜ、労働者の賃金は低いままなのか、なぜかくも繁栄していながら貧困者が生まれるのか、なぜこんなシステムなのに「悪者」はいないのか、なぜ資本主義のもとでは「万人が使い捨て」といえるのか、なぜ「所有」には無理があるのか、などなど。本書は、アマチュアがこうした道具をどう使いこなすかの見本を提示してくれています。

こうした認識は、もはや限界に達したわたしたちのこの社会にかかわる、新しい社会を考えるための前提です。いわゆる「社会主義」でもない以上、わたしたちは基本から考えなければならない。本書の中で一番役に立つところは、モズリイのこのような考えのすすめかただとおもいます（七八頁）。

社会主義と資本主義という名のドラゴンは打ち倒された。そしてぼくたちは今、粉々になったその骨の上に新しい世界を築き上げようとしている。そのためには、ぼくたちがほんとうに必要としているもののリストを作らねばならない。そのとき、この〝欲しい〟という言葉こそが重要なカギとなる。

かれはこの「欲しい」と「必要」から出発しながら、どうすればわたしたちが望ましい社会を築いていけるか、ひとつひとつ積み上げようとしています。ただし、人間はどこまでも欲しがる生きものであるといった人間観は、ある意味では資本主義的人間観が繁栄してしまっていて、いまの人類学などからすると特殊なかぎられた人間観です。資本主義社会以外の社会では、人間の欲望は無際限ではそもそもないのです。

とはいえ、こうした議論もふくめて、いま必要なことは、できあいの制度形態に囚われず、こうした基本的なところから、この社会とは異なる社会のありようをみんなで積み上げていくことであるとおもいます。

たとえば、かれは本書で、清潔な水、健康的な食事、安全な寝床、教育、情報への自由なアクセス、などといった要求項目をまとめあげています。必然的に、日本ではちがったものになるでしょうが、これにならって、わたしたちも考えてみるのはひとつ有益だとおもいます。

4……同化しなければものがいえない、奴隷の発想を捨てよ

本書の提言を日本の状況に当てはめると

日本の状況にあてはめるとしたら、基本的にすべてあてはまるとおもいます。これまで述べてきたことでいえば、本書はブラック・アメリカの文脈を大きく離れて、かなり一般的なポスト資本主義（ポスト社会主義）論として提示されています。それゆえ、ここでいわれる議論は、日本でもほとんどそのままトレースできることだとおもいます。

そのうえでいうならば、日本の資本主義はきわめて権威主義的であり、その度合

いをますます強化しています。これからの資本主義がますます富める者と貧しい者のあいだの隔絶を拡大していかざるをえないかぎり、強力な力による抑え込み、普段からの強力な監視、強力なイデオロギー支配を必要としていくでしょう。

たとえば、この本での要求項目にあるような「情報への自由なアクセス」は、日本の公共機関からでてくるのが「黒塗り書類」ばかりとなっている近年、ますます困難になっています。いまの権力者たちが望んでいる軍事化がさらにすすんでいけば、その度合いはますます深刻なものになるでしょう。

さらにいえば、世界における日本の報道の自由ランキングがどんどん低落しているように、マスメディアがもはや最小限の公共機関としての機能すらはたすことがないといった状態が、日に日に強まっています。財界と政治の一体化のなかで、人びとの頭脳を支配していくプロパガンダ装置としての意味合いのみが肥大化しつつあります。これらはすべて、モズリイの考えるように、資本主義が資本主義システムであるかぎり深刻化していくのみかもしれません。

ところが、日本では、こうした「ポスト資本主義」の社会をゼロから考え直すといった思考法自体が存在しないか、希薄なままです。「うんこ味のカレーか、カレー味のうんこか」レベルの、上から押しつけられた究極の選択を毎日迫られている状態で、想像力そのものが摩耗させられていて、その状況はほかの社会よりもいっそう深刻であるようにみえます。

そこで、日本に必要なことは、具体的提案というよりも、モズリイに具現されているような「黒人のラディカルな伝統」の身ぶりのようなものでしょう。

たとえば、二〇二〇年のジョージ・フロイドの殺害をきっかけに高揚をみせた抗議運動のなかで、アメリカのみならず世界中で、「No Justice, No Peace」というスローガンを、抗議者たちがさかんに唱和していました。「正義なくして、平和なし」ということです。ここでは躊躇なく、「平和」ではなく、正義がすべての基礎であるとされています。

これとすこし関係するとおもいますが、先ほどあげた、この本の一つ前の政治的エッセイ集『政治的啓発にむけての十二ステップ』では、政治的啓発にいたるまでのひとつのステップとして、「毎日、真実を語ること」というものがあります。ある白人のレビュアーがこの本をとりあげて、この部分をいささか小バカにするように語っているのを目にしました。しかしそれこそが、かれらにとってはウソがまことになり、まことがウソになるフェイク・ニュース状態が日常であるということの証左なのです。

とはいえ、アメリカの黒人文化において、「真実」は独特の響きを帯びます。真実とは希少品であり、またそれがなければみずからを隷属のうちに納得させてしまうか、錯乱してしまうかといったものなのだとおもいます。「真実」などどこにもないんだよ、などとうそぶくことのできるのは、その人間が「真実」にむしろ脅かされる存在だからかもしれません。「正義」も似たようなものです。日本では、こうしたものを「どっちもどっち」などとすぐに相対化します。そして、それを真に必要とする声が「正義」を叫ぶのを、すぐに馬鹿にしたりします。冷笑主義（シニシズム）が、社会根を腐敗させる域にまで達しているのです。

とはいえ、この「真実」の希求は、ある種の妄想、ある種の「陰謀論」（ここでは深入りしませんが、この用語は危ういもので、使用するには注意が必要です）におちいる第一歩でもあります。実際、モズリイのえがく黒人コミュニティには、あやしげな宗教やら「迷信」のたぐいがあふれています。そこでモズリイは、つぎの処方箋を提案します。

真実を語るという精神にのっとって、わたしはこういいたい。すなわち、経済的インフラストラクチャーの力に対する畏怖の念によって、わたしは、それ以外の要因とおなじように、わたしたちの精神は経済的・技術的相互作用によって形成されると信じている。わたしたちの一部は、経済システムの内部で、あるいはその裏側で、どのように組織化されているか、ということによって規定されているのだ。

(『政治的啓発にむけての十二ステップ』より)

と、このように「真実」をひとつの「土台」につなぎとめておくよう提唱しています。つまり、わたしたちがいま貧しく、差別され、ときに犯罪を、ときに破滅を強いられている現状を、宿命として、なんらかの観念(神による罰など)の結果として考えるのではなく、現在の特殊な経済組織のありかたとして考えようということです(だから「アボリション」できるのです)。そして、わたしたちはひとつの「階級」であるということです。まさにマルクスの教え、「唯物論」の教えが、このように生々しく実践されているわけです。

モズリイは、みずからもいっていますが、人種と階級の交わる接点で、つねに政治的な主張をしてきました。ある意味で、人種を階級と切り離すところで、かれらはみずからの苦境をみずからの責任とされてきたからです（かつては黒人の生得的劣性が、いまでは黒人に特有の文化が、貧困の責任であるといったかたちで）。だからかれは、そうした観念世界への飛翔を、こうした「インフラストラクチャー」すなわち「土台」へのつなぎとめによって、抑えようとしています。

このような提案も、日本でかれから学ぶべき身ぶりであるようにおもいます。しかし、それでもわたしは、まずこの「正義」や「真実」への、それこそ「弁解なき」（「without apology」とよく英語で表現されるような）コミットメントこそ、日本社会がもっとも注目すべき要素だとおもいます。日本では、日常からこうしたコミットメントを封殺し、ものごとを変えていく芽を封殺していく装置がはりめぐらされているからです。

それはたとえば、マスコミの好む表現にすらもあふれています。ひとつ例をあげれば、「声高に正義を叫ぶ」といった言い回しです。これは、たいてい否定的にいわれます。あきらかになにか大きな声で権利を唱えたり主張をしたりすることを、どこかイカれた態度、慎みのないふるまい、分不相応な行為とする効果があります。こうしたものが日本を、自由（なはずの）世界ではまれな、道路のはじっこでしかデモができない、しかもそんな制約だらけのデモすらも「異常」にみせる、という社会にしています。

しかし黒人たちは、「声高に」しなければ、なにも変わらないことをよく知っています。先ほどのワッツ暴動への、モズリイの父親の複雑な反応も、こうした力学を血肉の次元から感じているがゆえのことです。そして、このワッツ暴動がどれほど当時の、そしてそれ以降のかれらの精神に影響を与えたのかも考えてみなければなりません。それを感じ取るには、ぜひワッツ暴動を記念して開催された音楽イベントの記録『ワッツタックス／スタックス・コンサート』（*Wattstax*, 1973.）というドキュメンタリーをみてください。

「やりかたがいけない、暴動はいけない、もっと多数に通じる方法でやりなさい」という「体面政治」ではなにも変わらない、ということをかれらはよく知っています。「体面政治」とは、せんじつめれば、身なりをちゃんとして、言葉も標準的なものにあわせなさい。そうしないと、聞いてもらえませんよ、という発想です。もちろん、かれらのあいだでは「体面政治」を重視するひとたちもいて、これがまた長年の亀裂となっています。近年でもヒップホップ世代のカルチャーに対して、公民権運動世代の長老格の人びとが、もっとちゃんとしろと批判し、それが反発をうんでいます。しかし、この「体面政治」を、それを強いるシステムそのものといっしょにうち砕いてきたのも、かれらです。これもマルコムXですが、かれはみずからが子どものころをふりかえり、じぶんは欲しいものがあるとき、泣き叫びながら動かなかった、そして、それを手に入れていた、それが大きな社会でも大切だった、といっています。

日本では、いまでは「体面政治」（「世間体政治」というべきでしょうか）しかないといったありさまです。ひとはすぐにマジョリティ感性への同化を要求します。そうしないと共感してもらえないし、聞いてもらえないよ、というわけです。たいして問題を深刻とおもっていないだけでなく、本当は積極的に聞きたくないから、こういう「やりかた」論がくりだされる場合が多いようにおもいます。こうして、そうした感性そのものを培養しているシステムは温存されるのみならず、そもそも要求すること自体への高い障壁が築かれ、またじぶんがなにをもとめているかを考えることすらが、実質的に禁じられていくのです。

一見、効果がありそうでいて、そうした「体面政治」はなにも変えないということを、かれらの多くはわかっています。「体面政治」が変えたようにみえることですら（たとえば公民権運動がそうみえているかもしれませんが）、それは無数の「体面なんていってられるか」とばかりの民衆反乱（たいてい暴動です）が大地ではうなりをあげていて、しゃきっとしたスーツを着たキングたちも、そのうなり声をバックに要求を通していったからできたことなのです。モズリイのわたしたちへの教えとは、「同化しなければものがいえない、この（奴隷の）発想を捨てよ」というものです。

そして最後に、モズリイの小説世界もそうです、ハイムズのそれももちろん、リチャード・ライトの世界も、トニ・モリスン（一九三一～二〇一九年）の世界も、スパイク・リー（一九五七年～）の世界も、エキセントリックな人間だらけで、イカれたエゴイストや、粗暴な人間や、ウソしかつかない人間や、差別のなかの差別であふれています。しかし、かれらの世界は同時に、表の世界、マジョリティの体面の世界の法と秩序、エチケットなどとは異質な、強固なモラル、それに由来する葛藤、そしてなによりたがいの愛しかたをもっています。それは小説や映画、そしてとりわけ音楽がよく表現しています。

アメリカ黒人たちについて、コロナ禍においてその危険がわかっていても、かれらはハグすることをやめようとしなかった、というような一節をどこかで読みました。ときに不条理にすらみえるような、愛することへの執着が、しばしば底抜けの死のニヒリズムと裏腹になって噴出することからあらわれる、その創造性にわたしは驚嘆させられるのです。

第二次大戦直後の日本においては、文学や音楽など、アメリカ黒人文化は、そして、黒人社会の動向は、いまよりもはるかに注目の的であったようにみえます。多くの日本の作家や批評家は、黒人社会のうねりとともにはげしく変転をくり返すジャズに共鳴し、日本社会の奥底のうごめきを探りあてようとしながら、この社会の変革の可能性を探っていました。資本主義的近代の底で、その土台をなしながらも(奴隷制がなければ、初期の資本主義は存在しえたでしょうか?)足蹴にされていたひそやかな領域、いまだにその内部でありかつ外部をなす、力にみちあふれた領域には共振するものがあった。だからこそ、それを探ろうとしたのだとおもいます。

もちろん、わたしたちの社会はすっかり変質しました。しかし、シニシズムに浸食されきった社会、「声高」を野蛮として退けるほど「世間体」に価値をおく社会が、ひとに成熟どころか幼稚化しかもたらさないことを、わたしたちはおもいしっています。わたしたちが、この日本社会で学ぶものがあるとしたら、モズリイにもあらわれる、あられもなく同化を拒む力学に共鳴することからだとおもいます。わたしたちが人類であるかぎり、その普遍的要素はわたしたちにもそなわっているであろうからです。

（さかい・たかし、大阪公立大学教授。社会思想史）

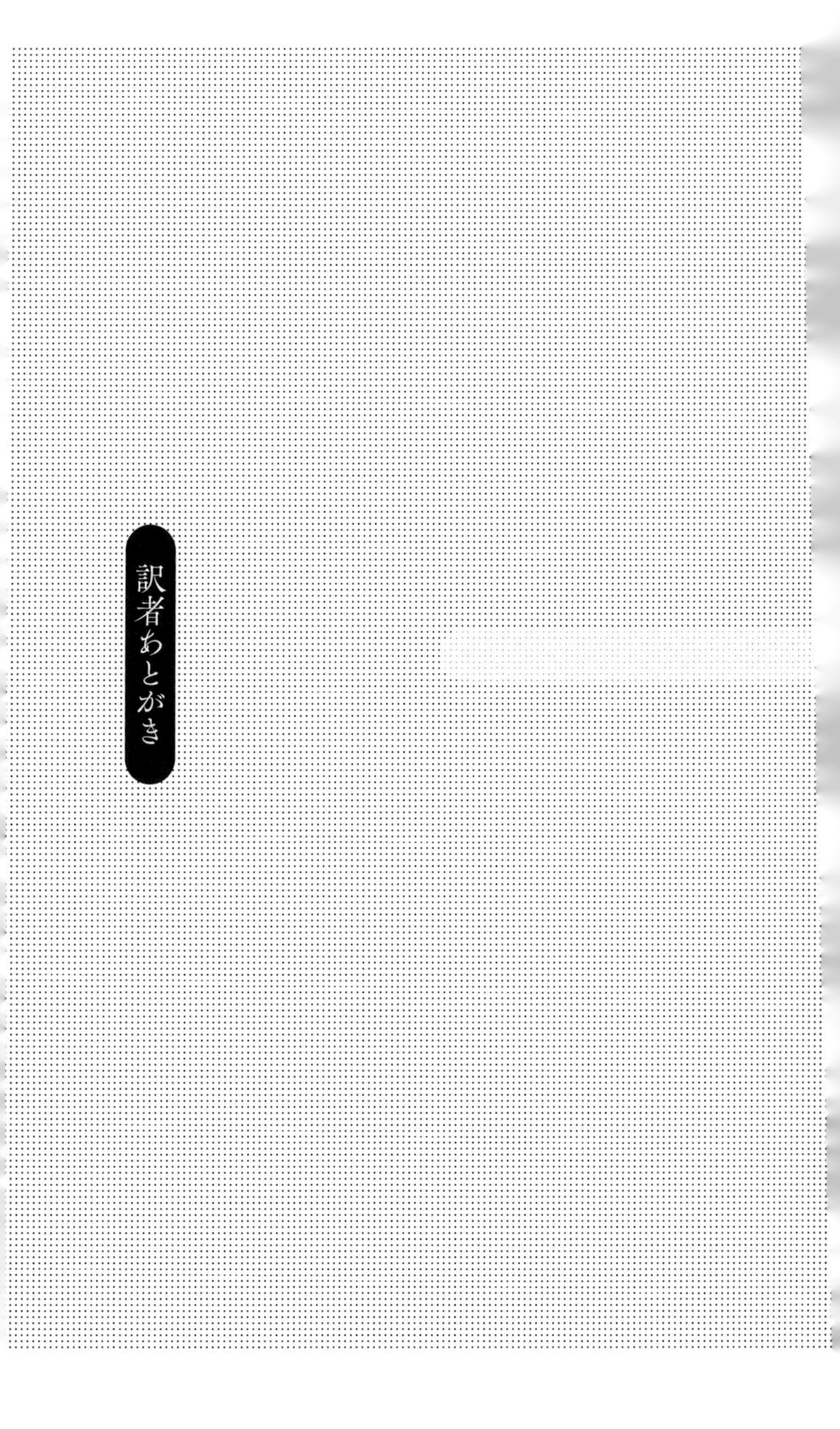

訳者あとがき

理想を言えば、仕事はたのしいし、心地良い疲労を感じる程度に働けば、日々の生活を賄えるだけの収入が得られる。そのうえで、余暇には〝趣味〟に邁進することもできる、という状態にありたいものです。そうすれば仕事との向き合いかたにも余裕が生まれますし、ということは生活の全域にわたって無理が減りそうです。ささやかな理想というよりも、これこそがあたりまえの生活ではないでしょうか。

しかしそれがあたりまえではないからこそ、われわれは「パンのために」と頭を切り替えて日銭を稼ぎ、それゆえ仕事にやりがいを感じられない瞬間が増え、全体として汲々としながら生きていかなければならなくなるわけです。

いったい、どうしたら追いつめられることなくあたりまえの生活をしていけるのでしょう。そのためには、どういう社会を目指せばいいのでしょうか。そのありかたや、そこにいたるまでの道筋を具体的に考えるのが本書です。

ここでは、こんな社会が描き出されます。

収入の多寡にかかわらず、その一〇パーセントを家賃として収めれば住める（つまり収入がなければ無料の）公共住宅がある。基礎的な食品の生産が政府の助成金によって支えられていて、われわれは毎日、必要充分な量を数十円単位で購入できる。

そして、だれにでもわかりやすく一定の税率で所得税が課される（複雑な控除計算は存在しない）。また裁判では、公務員である優秀な弁護士を雇い、だれとでも対等な立場で争える。そしてビジネスを興し、金儲けをしたいのであれば、全力でその実現にあたればいいし、大きく儲けたからといって大部分を税金として掠め取られることもない。あるいは、収入額を気にすることなく芸術活動を続けたいという人は、その道を探究しながら生きていける。

そこでは、一時的に収入が途切れたらあっという間に社会の外側に放り出されるのではないかという恐怖から解放されているがゆえに、だれもが心身ともに余裕のある生活を送っていて、〝夢〟を先送りすることなく（つまりは現在時を）生きています。こういう社会のありかたに、真っ向から反対したい人などいるのでしょうか？　とすら思えてきます。

とはいえ私自身、どうしたら社会をより良くしていけるのか、などという大きな理想を抱いて、本書を手に取ったわけではありません。ただ単に、中年期を過ぎつつある自分が、どうすればここからの時間をより気持ちよく生きていけるのだろうかと考えたにすぎません。長いあいだ曲がりなりにも会社員として過ごしたあと、はじめてフリーランスとしての生活がはじまり、一抹の、というより大いなる不安を感じてもいました。

そんなことを考えはじめると、そういえば一九六〇年代にはあり得べき社会を現実のものにすべく行動を起こしていた人たちがたくさんいたはずなのに、今はどうしているんだろう？　ということがあらためて気にかかりはじめました。そうした人々の多くが〝転向〟し、今の社会のありかたを強化する側に回っていったという物語は聞き飽きています。むしろ、彼らが今はどんな姿になっていて、〝あの頃〟をどんなふうに考えているのだろう？　ということが知りたくなりました。もしかしたら、〝その後〟を生きて来た彼らの話の中に、この不安を払拭するためのヒントがあるのではないか、と。

そこで、一九五〇年前後生まれの小説家や哲学者、出版人、写真家などのインタヴューを撮りはじめました。長篇ドキュメンタリーに仕上げようという企てです。文化人に的を絞ったわけではありませんが、これまでの仕事柄、そういう人選になっていきました。その中で、話を聞いてみたいと考えたうちの一人が、本書の著者ウォルター・モズリイです。ドキュメンタリーのための取材はかないませんでしたが、資料として読みはじめた薄くて小さな本書の提示する社会のありかたに魅せられ、というよりもどうしてこういうあたりまえのことを、自分も含むおおぜいの人たちが実現できてあたりまえと感じられないのだろうと素朴な疑問をおぼえ、翻訳出版の道を探しはじめたというわけです。

もちろん、本書の考え方にはさまざまな限界点もありますが、それを補ってあまりある刺激を与えてくれると私は考えています。モズリイという作家と、ここでの議論の持つ意味合いについては酒井隆史さんによる解説にあたっていただくとしまして、原題について補足しておきたいと思います。

Folding the Red into the Black: Or, Developping a Viable Untopia for Human Survival in the 21st Century という書名をそのまま訳せば、「赤を黒の中に折り込んでいく――もしくは、人類が二十一世紀を生き延びるための実現可能な〝アントピア〟を作り上げること」くらいの意味合いになります。

「赤を黒の中に～」の部分は、「赤字を黒字に吸収する」とも読めます。「イージー・ローリンズ」シリーズのタイトルにはいつも色が使われていますし、本文中にも「色にまつわるおかしな言葉」という表現が出てきます。このように、一般的に色にはさまざまな意味合いが重ねられます。政治的な文脈で言えば、「赤（アカ）」は共産主義や社会主義と結びつけられてきましたし、「黒（ブラック）」は、人種だけでなく、アナーキズムと結び付けられることもありました。

ではここで言う「赤（いもの）を黒（いもの）の中に折り込んでいく」とはどういうことなのでしょうか？　本書は、資本主義と社会主義を対比させる議論を軸に展開されていきます。ではなぜ、「資本主義と社会主義を混ぜ合わせ、良いところだけを抽出していく」という意味合いがストレートに伝わるわかりやすい言葉（ないし色）づかいにしなかったのでしょう？　そんな疑問が湧いてきます。あるいは、コミュニズムの思想を、「黒人のラディカルな伝統」と一体化させていくということなのでしょうか？

本書での著者インタヴューでは、あえてこのことを尋ねないという選択肢を採ってしまったために想像の範疇を出ませんが、おそらく著者は、一目で腑に落ちてしまわない、割り切れなさを積極的に選んだのではないでしょうか。

繰り返しになりますが、本書での議論はすべて、わかりやすく単純化された二項対立のまわりで展開されていきます。しかし著者モズリイは、そうすることによってこぼれ落ちるもの、あるいはここでの一見穏当に見える提言の核にある、現在の社会のありかたへの根源的な煮えたぎる怒りのようなものを、書名の中に凝縮したのではないかと想像しました。なにしろ、大量の黒に赤を溶かし込めば、真っ黒になるのは必定なのですから。また、割り切れない違和感が残れば、そこから思考がはじまることもあります。そう考えながらも、日本語版の書名においては伝わりやすさを優先し、わかりにくさを避けるという選択をしました。この点についての責めは、訳者である私が負っています。

最後に、二つ返事で本書の出版に乗り出し、しんぼう強く最後までおつきあいくださった共和国の下平尾直さんと、本書での議論の背景を浮かび上がらせながら補完し、それによって射程そのものを大きく広げるような解説を寄せて下さった酒井隆史さんに、心からの感謝を申し上げます。

品川 亮

ウォルター・モズリイ

Walter Mosley

一九五二年生まれ。アメリカ合衆国在住の小説家。
一九九〇年、「イージー・ローリンズ」シリーズ第一作となる
『ブルー・ドレスの女』でエドガー賞などを受賞、映画化される。
以後、色をタイトルにした
『赤い罠』
『ホワイト・バタフライ』
『ブラック・ベティ』
『イエロードッグ・ブルース』
（以上、いずれも坂本憲一訳、早川書房）をはじめ多数の小説を発表。
評論に
『放たれた火炎のあとで』
（藤永康政訳、ブルースインターアクションズ）などがある。

Ryo Shinagawa

品川 亮

一九七〇年生まれ。文筆業、翻訳家、編集者、映像制作。
『STUDIO VOICE』元編集長。
著書に、
『366日映画の名言』(三才ブックス)、
『〈帰国子女〉という日本人』(彩流社)など。
訳書に、
ラーシュ・ケプレル『墓から蘇った男』(上下、扶桑社)、
トーマス・ジーヴ『アウシュヴィッツを描いた少年』
(ハーパー・コリンズ・ジャパン)など多数。

アントピア　だれもが自由にしあわせを追求できる社会の見取り図

二〇二二年一二月二〇日初版第一刷印刷
二〇二二年一二月三〇日初版第一刷発行

著者　ウォルター・モズリイ
訳者　品川（しながわ）　亮（りょう）
発行者　下平尾　直
発行所　株式会社　共和国
東京都東久留米市本町三―九―一―五〇三　郵便番号二〇三―〇〇五三
電話・ファクシミリ〇四二―四二〇―九九九七　郵便振替〇〇一二〇―八―三六〇一九六
http://www.ed-republica.com

印刷　モリモト印刷
ブックデザイン　宗利淳一

本書の内容およびデザイン等へのご意見やご感想は、以下のメールアドレスまでお願いいたします。naovalis@gmail.com

ISBN978-4-907986-96-4　C0036